Santé & Bien-être

Edita Pospisil

LE RÉGIME MÉDITERRANÉEN

- Pourquoi le régime méditerranéen est-il si sain ?

- Une prévention efficace de l'infarctus du myocarde

- Mince et en forme sans privations

VIGOT

Sommaire

PRATIQUE

Avant-propos

La Méditerranée, la cuisine méridionale, la mer et le soleil, la joie de vivre et la détente… aussitôt, des effluves épicés d'herbes aromatiques nous enveloppent, des salades croquantes, des légumes parfumés et des poissons dorés se présentent à notre esprit, des vins savoureux nous chatouillent les papilles, bientôt chassés par l'idée des fromages parfaits et des fruits sucrés qui concluent tant de bons « gueuletons ». Rien dans tout cela n'évoque la notion pour beaucoup rébarbative de « régime » ou de « diète ». L'expression « régime méditerranéen » semble d'ailleurs elle-même être un paradoxe.

Pourtant, la cuisine méditerranéenne offre bien plus que du pur plaisir : elle contribue largement à préserver et à rétablir notre santé et réussit l'alliance pourtant réputée impossible d'une alimentation à la fois gourmande et saine, qui non seulement ne fait pas grossir, mais peut même nous aider à perdre du poids. Elle ne fait certes pas de miracles, mais elle n'exige aucun sacrifice insupportable. Et elle admet la présence d'un bon verre de vin rouge, aux vertus également bienfaisantes, aux repas.

La cuisine méditerranéenne tire ses atouts de l'association caractéristique des différents ingrédients qui la composent. Fruits et légumes, céréales et produits dérivés, poisson et fruits de mer, huile d'olive et vin rouge sont les cinq piliers de ce mode d'alimentation. Ces aliments renferment tous quantité d'éléments nutritifs précieux qui contribuent à améliorer de manière très nette notre qualité de vie. Cette association unique joue enfin un rôle important dans la prévention des maladies cardio-vasculaires et dans la lutte contre le cancer. Laissez-vous convaincre par les bienfaits du régime méditerranéen et tenter aussi souvent que possible par les plaisirs sains qu'il vous réserve !

Edita Pospisil

La cuisine méditerra-néenne

La cuisine méditerranéenne, à laquelle nous avons tous goûté lors de nos vacances dans le Sud, jouit d'une tradition ancestrale qui remonte à l'Antiquité.

Or, les bienfaits de ce mode d'alimentation n'ont été découverts et analysés scientifiquement que récemment. Les résultats présentés ci-après conduisent à une conclusion rassérénante : pour notre bien, régalons-nous de cuisine méditerranéenne !

Qu'est-ce que la cuisine méditerranéenne ?

Conditions géographiques et climatiques

La cuisine de terroir, c'est-à-dire le mode d'alimentation d'une région tout entière, ne doit pas être considérée isolément, mais dans le contexte géographique et climatique qui l'influence. Car ce contexte détermine aussi la vie, le rythme de vie et la joie de vivre des habitants de la région. Ils sont les artisans d'un art culinaire qu'ils n'ont cessé d'améliorer et de raffiner au fil des siècles, voire des millénaires. C'est plus particulièrement vrai de la cuisine méditerranéenne considérée globalement, mais avec toutes ses spécificités régionales et nationales. Dans le présent ouvrage, nous avons principalement traité des pays méridionaux « classiques » comme la Grèce, l'Italie et l'Espagne. Nous avons volontairement écarté les pays des côtes méditerranéennes d'Afrique du Nord, car leur cuisine, fortement influencée par les Arabes, fait appel à des ingrédients différents de ceux de la cuisine méditerranéenne « classique » et correspond par conséquent à des choix gustatifs autres que ceux, plus connus de nous, des pays méditerranéens du Nord.

Plaisir et joie de vivre

Convivialité et plaisir de se retrouver pour discuter et savourer en joyeuse compagnie les bons moments de la vie sont deux composantes majeures de la culture culinaire méditerranéenne. Le repas est le moment où la famille se réunit, mais aussi l'occasion pour les voisins et amis de vivre une expérience commune. On prend son temps pour manger, on déguste son repas tranquillement, au milieu des conversations animées, et on le conclut par une bonne petite sieste chaque fois que c'est possible. Manger est avant tout un plaisir des sens, l'une des vraies voluptés de la vie, et non, comme c'est le cas dans les pays du nord et du centre de l'Europe, un acte biologique des-

Le plaisir des grandes tablées

tiné à rassasier vite et bien notre estomac. Une civilisation méditerranéenne vieille de plusieurs millénaires, des conditions climatiques fa-
vorables et l'exceptionnelle abondance des ressources agricoles ont
largement contribué à cette conception de l'alimentation.

La fête des sens

Mode de vie
méditerra-
néen
La cuisine méridionale est indissociable du mode de vie et de la philosophie existentielle qui anime les peuples du Bassin méditerranéen.
Pour un méridional, manger rapidement dans le seul but de se rem-
plir l'estomac et de retourner au plus vite au travail, provoquerait,
selon son caractère, une crise de désespoir ou des larmes de profonde
commisération. Heureusement, l'idée de prendre son temps pour savourer pleinement son repas fait peu à peu son chemin en Europe, et
le présent ouvrage devrait contribuer à accélérer un peu les choses
dans ce sens, ne serait-ce que pour notre santé.
Prenez donc le temps de manger… mais également de cuisiner ! Laissez libre cours à votre fantaisie et à votre créativité afin que la préparation même des repas devienne un plaisir et que, vous sentant pous-
ser des ailes, vous vous surpreniez à mettre en scène des menus qui
soient une véritable fête des sens.

À dévorer des yeux !

Le plaisir de ses sens passe évidemment aussi par les yeux. Nous vous
présentons ci-après (page 10) en avant-goût une spécialité italienne
dont vous apprécierez la triple harmonie des couleurs, des goûts et
des parfums. Préparez-la avec soin et prenez le temps de la savourer.
Vous y prendrez plaisir et vous ferez quelque chose de positif pour
votre santé.

Un petit mot sur le facteur temps

Un temps pour cuisiner, un temps pour déguster ! Le facteur temps
devrait en fait être pris en compte dès l'achat des ingrédients, car il
joue un rôle important et ce, à deux égards : d'abord, achetez de préférence vos fruits et vos légumes en saison. Vous réserverez peut-être

Respecter
les saisons

Salade de tomates et mozzarella
Alternez des rondelles de tomates rondes ou en grappe mûres avec des tranches de mozzarella bien blanches. Salez et saupoudrez de poivre noir du moulin, arrosez d'un filet d'huile d'olive vierge extra et de vinaigre balsamique et décorez de feuilles de basilic frais.
Servez avec un petit verre de vin rouge léger et, bien sûr, une tranche de baguette croustillante.

une bonne surprise à vos invités en leur offrant des fraises pour Noël, mais c'est tout de même en mai ou en juin que vous obtiendrez les meilleures et les plus parfumées, simplement parce qu'elles seront produites sur place.

Prenez ensuite le temps de choisir vos fruits et vos légumes. Vérifiez leur fraîcheur et, si possible, leur parfum et n'en achetez pas de grandes quantités. Même conservés dans le bac à légumes du réfrigérateur, les légumes perdent rapidement de leur goût et de leur fraîcheur, sans parler de leurs précieuses vitamines. Il en va de même des fromages qui, hormis ceux à pâte dure comme le parmesan ou le pecorino, ne se conservent que deux semaines sous une cloche.

Y a-t-il vraiment une cuisine méditerranéenne ?

La question peut paraître quelque peu étrange après tout ce qui vient d'être dit. Or, la réponse n'en est pas moins un « oui et non » embarrassé.

On cuisine différemment d'un pays à l'autre du Bassin méditerranéen et chaque région possède donc ses propres spécialités. Dans ce qui suit, nous nous sommes efforcés de faire ressortir à la fois les traits distinctifs de la cuisine de chaque pays et les caractères communs, en quelque sorte « transfrontières », qui font de toutes ces cuisines régionales une seule cuisine méditerranéenne.

Chaque pays du Bassin méditerranéen a un plat d'accompagnement préféré : pommes de terre, riz ou pâtes

Des ingrédients traditionnels

Grâce à Christophe Colomb, la pomme de terre est chez elle en Espagne où elle constitue, avec le riz, le principal plat d'accompagnement. Il en va de même dans tout le sud de la France. En Italie, cette fonction importante est assurée en totalité par les pâtes, alors qu'en Grèce, le trio « pâtes, riz et pommes de terre » se partage le rôle à parts égales. La Turquie, pour sa part, accorde la place d'honneur au riz, qu'elle associe aux épices exotiques pimentées de l'Orient.

Pommes de terre, riz, pâtes

Toutes les cuisines de ces pays ont en commun l'utilisation d'huile d'olive et de plantes aromatiques fraîches pour assaisonner leurs plats, ainsi qu'une abondance, à chaque repas, de fruits et légumes. Les deux principaux repas de la journée s'accompagnent en outre de beaucoup de pain et, sauf en Turquie, d'un verre de vin. Le poisson et les fruits de mer sont un plat quotidien apprécié, de même que le fromage et le yaourt.

Huile d'olive, fines herbes, légumes et fruits

Évolution du comportement alimentaire

De nos jours, la cuisine méditerranéenne traditionnelle est néanmoins soumise à d'importantes mutations (voir page 16). La raison en est l'évolution vers une urbanisation croissante dans tous les pays

Perpétuer
une saine
tradition

méditerranéens et, par conséquent, une tendance générale pour les femmes à entrer dans la vie active. Le comportement alimentaire a donc également changé, ce qui est à son tour reflété par les rayons des supermarchés où sont proposés une vaste diversité de produits prêts à consommer. Ces derniers entrent de plus en plus souvent dans la préparation des repas quotidiens. Il en va de même de la margarine et du beurre, qui remplacent l'huile d'olive, mais aussi de la viande et des saucisses dont la consommation a augmenté. Les nutritionnistes méditerranéens cherchent à endiguer cette tendance en essayant de faire prendre à nouveau conscience aux populations locales de la valeur, pourtant éprouvée depuis l'Antiquité, de leur cuisine traditionnelle.

Corriger
les erreurs

Mercure chef cuisinier

Le commerce établi dans l'Antiquité à l'intérieur du croissant fertile situé entre la Mésopotamie, l'Égypte et les pays voisins de cette dernière a aussi beaucoup enrichi la cuisine méditerranéenne du Nord. Plusieurs millénaires avant notre ère, et plus particulièrement dans l'Antiquité, un système d'échange de produits agricoles avait déjà été instauré sous la protection d'Hermès, dieu grec des commerçants, également connu sous le nom de Mercure chez les Romains. Hermès/Mercure était bien disposé à l'égard de ses protégés et ce commerce

Commerce
et migrations

Mercure
et Hermès

Abrégé de mythologie

Mercure ou plutôt Mercurius, comme les Romains l'appelaient, est investi exactement du même symbolisme et des mêmes fonctions que le dieu grec Hermès, fils de Zeus et de la nymphe Maia. À la fois inventeur, chef des voleurs et des commerçants, puis plus tard messager des dieux et patron des voyageurs et des diablotins, Hermès/Mercure avait pour tâche d'accompagner les gens, et plus particulièrement les commerçants, dans leurs voyages, de leur apporter sa protection et de leur assurer chance et enrichissement. C'est pour cette raison qu'Hermès/Mercure est parfois représenté avec le caducée des médecins, mais surtout avec un casque et des chaussures ailés.

était florissant. Mais cela conduisit les différents pays à se spécialiser dans la culture et l'exploitation des produits agricoles qui poussaient le mieux dans leurs sols et sous leurs climats respectifs.

Import-export

Les Crétois se sont par exemple spécialisés très tôt dans l'exportation de leur précieuse huile d'olive, l'Égypte dans celle de ses céréales et la Grèce antique dans celle du vin. Ce vin, lourd, sucré et épicé, se buvait alors allongé d'eau, une tradition qui s'est perpétuée jusqu'à nos jours.

Deux exemples illustrent la valeur d'échange dont jouissaient déjà ces produits dans l'Antiquité : dans l'ancienne Sybaris, célèbre colonie grecque en Sicile, une sorte de pipeline pour le vin avait été installée entre le port et la ville. De l'époque romaine, on a par ailleurs retrouvé une montagne d'amphores à huile dans le port antique d'Ostie, à proximité de Rome. Ces amphores témoignent de l'importation massive d'huile d'olive en provenance d'Espagne, alors province romaine. En effet, la production en huile d'olive du « continent » de l'Empire romain, c'est-à-dire l'actuelle Italie, ne suffisait pas à couvrir le besoin du pays.

Les voies d'échanges de l'Antiquité

Ancien Monde et Nouveau Monde

Les voies d'échanges établies et largement utilisées par l'Ancien Monde ont contribué à donner, dès l'Antiquité, ses traits caractéristiques à la cuisine méditerranéenne. Elle a par la suite été encore enrichie par l'introduction des produits agricoles en provenance du Nouveau monde pendant toute la vague d'explorations et de conquêtes qui a déferlé sur l'Europe après la formidable découverte de l'Amérique par Christophe Colomb en 1492. La simple tomate, par exemple, constitue aujourd'hui l'un des ingrédients de base de la cuisine méditerranéenne.

Les fruits du Nouveau Monde

Cuisine méditerranéenne : cuisine saine

Se faire plaisir en savourant ce que la cuisine méditerranéenne a de meilleur est un véritable plaisir des sens, mais aussi une façon extrêmement saine de se nourrir. Ce n'est pas pour rien que le « régime méditerranéen » est aussi largement connu et reconnu aujourd'hui. Il ne s'agit pas d'une nouvelle forme de mortification dont seul le nom peut sembler attrayant a priori, mais d'un mode d'alimentation à la fois sain et délicieux qui réussit à marier deux exigences apparemment inconciliables. La première est la nécessité d'adapter, voire de réduire, l'apport énergétique journalier de manière à ce qu'il corresponde au besoin effectif ; la seconde, la volonté de ne pas renoncer au plaisir de manger de bonnes choses. Comment parvenir à allier deux concepts aussi diamétralement opposés, c'est ce que nous vous montrerons dans les chapitres suivants. Mais laissez-nous d'abord vous exposer quelques notions de base de physiologie et de diététique.

Plutôt se faire plaisir en mangeant sain, que se mortifier par des privations

Qu'est-ce que la « diète » méditerranéenne ?

D'abord, un malentendu. Car le mot « diète » vient de l'expression « Cretan diet », d'abord traduite en français par « régime crétois » et inventée par des chercheurs américains. Or, en français, les mots « diète » et « régime » sont aujourd'hui beaucoup plus couramment employés dans leur sens restrictif de « privation de nourriture » que dans leur sens médical plus large de « mode d'alimentation particulier », qui était précisément celui de l'expression anglaise.

Un peu d'histoire

En 1948, juste après la Seconde Guerre mondiale, la célèbre fondation Rockefeller fut commanditée par le gouvernement grec pour réa-

Une étude de la fondation Rockefeller

liser une étude globale sur la situation économique et sociale de la Crète. L'île passait pour complètement sous-développée et devait être ramenée au niveau économique et social standard des régions industrialisées. Cette étude de grande envergure, puisqu'elle intégrait le mode de vie et l'alimentation, mais aussi l'état de santé de la population, donna des résultats étonnants.

À cette époque, le mode d'alimentation crétois allait à l'encontre de tous les régimes alimentaires alors en vogue dans les pays industrialisés occidentaux, notamment par la forte consommation de céréales (principalement sous la forme de pain), de fruits et de légumes, de pommes de terre, de légumes secs, de noix et d'huile d'olive.

Une nourriture saine

En même temps, on constata que, contrairement aux Américains, les Crétois souffraient rarement de maladies cardio-vasculaires et qu'ils avaient une espérance de vie élevée. Ces résultats suscitèrent un énorme intérêt au sein de la communauté scientifique qui se mit à étudier les habitudes alimentaires non seulement de la Crète, mais aussi de tout le nord du Bassin méditerranéen. L'expression « régime méditerranéen » était entrée dans la science.

Les Crétois ont une espérance de vie particulièrement élevée grâce à leur alimentation saine

Le mystère éclairci

Les chercheurs américains Ancel et Margaret Keys, aidés d'autres éminents scientifiques, commencèrent en 1952 une étude dite « des sept pays ». Il s'agissait en fait de la Grèce, de l'Italie, de l'ex-Yougoslavie, des Pays-Bas, de la Finlande, des États-Unis et du Japon. S'appuyant sur des protocoles alimentaires, ils étudièrent les différents modes d'alimentation de ces pays, ainsi que les effets produits sur l'état de

Une espérance de vie très élevée

santé et l'espérance de vie de leurs populations. Une attention particulière fut portée aux maladies cardio-vasculaires. Cette étude comparative révéla que le mode d'alimentation qui prédominait dans les années soixante dans les pays méditerranéens, et plus particulièrement en Grèce et dans le sud de l'Italie, protégeait des maladies cardio-vasculaires et augmentait simultanément l'espérance de vie.

L'alimentation méditerranéenne : une action concertée

Il n'y a pas un seul mode d'alimentation méditerranéen, car il varie en fonction des pays et aussi des régions à l'intérieur même de ces pays, mais il existe un nombre important de caractéristiques communes qui diffèrent nettement de celles du régime occidental typique.

Principales caractéristiques du régime méditerranéen

La première caractéristique importante est l'association bénéfique des graisses alimentaires, due à une utilisation prédominante de l'huile d'olive et à une consommation modérée d'aliments d'origine animale.

Beaucoup d'huile d'olive

Autre caractéristique : le régime méditerranéen renferme beaucoup de glucides complexes et de fibres, car il comporte une forte proportion d'aliments d'origine végétale riches en substances bioactives, comme les vitamines et les sels minéraux, et en substances végétales secondaires (voir page 44), très efficaces pour lutter contre les maladies.

Une forte proportion de substances nutritives végétales

Enfin, citons la consommation modérée de vin : un verre de vin rouge à chaque repas est recommandé, voire obligatoire !

Les effets négatifs de l'alimentation contemporaine

Au cours des trente années que dura l'étude des sept pays, les observations révélèrent néanmoins une évolution de l'alimentation des populations méditerranéennes (voir page 11). Or, cette évolution allait à de nombreux égards dans le sens d'un rapprochement avec le mode d'alimentation typique des pays occidentaux : remplacement croissant des aliments d'origine végétale par des produits d'origine animale ; recul de la consommation de céréales, notamment de pain, mais aussi de pommes de terre ; nette augmentation de la consommation de viande et remplacement progressif de l'huile d'olive, qui était jusque-là la principale source de lipides, par d'autres huiles végétales, de la margarine ou du beurre.

Cette évolution conduisit en Crète à une hausse notable des facteurs de risque liés à l'alimentation et responsables des maladies cardiovasculaires. Les principaux facteurs sont l'augmentation du taux de graisses dans le sang (lipidémie), l'hypertension artérielle, le diabète sucré et l'excès pondéral. Il est donc à craindre que le taux de maladies coronariennes autrefois très bas n'augmente également dans ces pays.

Facteurs de risques liés à l'alimentation

Toute l'Europe au régime méditerranéen

Les résultats de l'étude des sept pays sur l'interaction entre l'alimentation, la santé et l'espérance de vie ont suscité un intérêt très vif, tant dans les pays occidentaux que dans les pays méditerranéens eux-mêmes. Les nutritionnistes s'efforcent donc aujourd'hui d'introduire, voire de renforcer dans la conscience populaire de tous les pays méditerranéens et non méditerranéens, ce mode d'alimentation très sain. Il existe d'ailleurs, au niveau même de l'Union européenne, des efforts visant à recommander l'extension du régime méditerranéen à tous les pays de la Communauté, ainsi qu'à en établir et en diffuser les principales lignes directrices.

Les recommandations de la CE

La pyramide des aliments

Ces dernières années, la recherche en nutrition s'est encore enrichie de nouvelles connaissances d'une portée considérable. Il apparaît ainsi que le mode d'alimentation méditerranéen traditionnel com-

Interaction
de plusieurs
composantes
porte des aspects positifs encore plus nombreux que prévu. Toutes les recherches scientifiques portant sur l'alimentation méditerranéenne et sur ses répercussions sur la santé ont révélé que les aliments ou leurs composants ne doivent pas être considérés isolément. Car c'est de manière globale et grâce à une interaction complexe qu'ils agissent comme une protection contre les maladies cardio-vasculaires (voir page 49). Les différents composants de l'alimentation européenne traditionnelle sont faciles à hiérarchiser à l'intérieur d'une pyramide. Celle-ci renseigne instantanément sur les aliments à intégrer dans votre régime et sur les quantités adéquates ou la fréquence avec laquelle il convient de les consommer.

Important :
les justes
proportions

Le régime alimentaire idéal

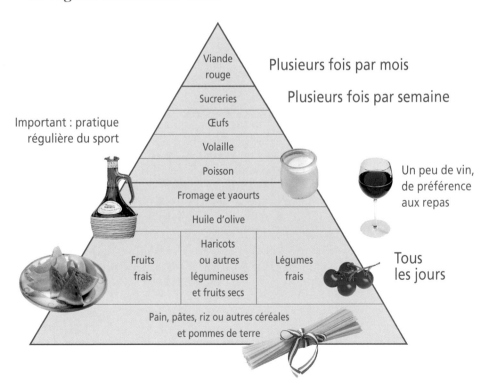

Les cinq piliers de l'alimentation méditerranéenne

Une excellente qualité

L'alimentation méditerranéenne traditionnelle repose sur des normes qualitatives très élevées. La fraîcheur, la nature et l'excellence des produits employés sont les trois qualités de base. Ces exigences s'expliquent par le caractère rustique de la cuisine de terroir qui exploite les produits locaux et qui repose donc sur cinq piliers : les céréales, les fruits et légumes, le poisson et les fruits de mer, l'huile d'olive, le vin rouge. Ces produits constituent, comme le mot « pilier » le souligne, la base même de l'alimentation méditerranéenne. Ces cinq groupes fondamentaux sont complétés par de petites quantités de viande rouge (de préférence d'agneau et de veau), de volaille, d'œufs, de produits laitiers (de préférence fromages et yaourts) et, ne l'oublions pas, de fines herbes. Ces ingrédients font de la cuisine méditerranéenne une cuisine simple, mais savoureuse et riche en éléments essentiels. Nous nous pencherons dans ce qui suit sur ces cinq groupes fondamentaux : quelles sont leurs particularités, leurs constituants et comment agissent ces derniers ?

Beaucoup de produits d'origine végétale, peu de viande

Céréales et produits céréaliers

Les céréales sont depuis des temps immémoriaux à la base de l'alimentation humaine. À l'âge de la pierre déjà, les hommes se nourrissaient de céréales et non pas exclusivement de la chasse, c'est-à-dire de viande, comme on l'a longtemps cru. Plus tard, des civilisations entières ont même reposé sur l'exploitation, la culture et la récolte des céréales. C'est le cas de la civilisation chinoise, qui s'est forgée sur le riz, mais aussi de la Mésopotamie et de l'Égypte, dont les civilisations dépendaient essentiellement de la culture de l'orge, du blé, du sarrasin (variété de millet) et de l'épeautre. Il en va de même des premiers peuples d'Amérique centrale et latine, dont le rythme de vie était dicté par la culture du maïs.

De l'orge, du blé, du sarrasin, de l'épeautre

Les céréales et leurs produits dérivés jouent aujourd'hui encore un rôle prépondérant dans l'alimentation quotidienne des pays du Bassin méditerranéen. Le pain arrive en première place et ne doit manquer à aucun repas. Le riz, qui n'est parvenu d'Inde et de Mésopotamie en Méditerranée que dans l'Antiquité, est un autre élément apprécié des repas quotidiens. Mais les pâtes sont le premier des produits dérivés que l'on cite quand on parle de céréales. Sans elles, la cuisine italienne ne serait pas ce qu'elle est. Elles appartiennent en outre également à la cuisine grecque et aux plats mijotés turcs et croates.

Le pain fait partie intégrante du repas

Les pâtes sont aussi populaires dans les cuisines grecque et turque qu'en Italie

Les pâtes rendent heureux, pas obèse

Pourtant, les pâtes sont probablement l'aliment ayant la plus mauvaise image de marque. « Les pâtes font grossir ! » est un préjugé encore largement répandu et qui résiste farouchement. Or, comment les pâtes peuvent-elles passer pour rendre obèse, alors que leur apparence même suggère la minceur et la légèreté ?

Les chiffres parlent d'eux-mêmes : 100 g de pâtes de semoule de blé dur crues et séchées renferment environ 350 calories. Or, ces pâtes gonflent énormément en cuisant et donnent 300 g bien pesés une fois dans l'assiette : c'est-à-dire plus qu'assez pour faire un bon repas ! Et sans augmentation du nombre de calories d'origine. Cela correspond par exemple à trois cuillères à soupe bombées de salade de pommes de terre à la mayonnaise !

Nombre comparé de calories

Petite histoire des spaghettis
Un jour où le soleil d'Italie était particulièrement brûlant, une belle jeune fille s'avançait sur le chemin du four du village pour aller y faire cuire son pain. Elle était suivie d'un âne chargé de paniers remplis de pâte. Mais la vie est ainsi faite que la jeune fille rencontra en chemin son amoureux et que pendant qu'elle se laissait enlacer à l'ombre des arbres, l'âne demeura avec ses paniers de pâte en plein soleil. La pâte se mit rapidement à dégouliner par les fentes étroites de l'osier, formant de longs fils qui durcirent en séchant au soleil. C'est ainsi que la jeune fille rapporta chez elle non pas du pain, mais seulement de longues « ficelles » ou spaghettis de pâte séchée.

Ficelles à l'italienne

Marco Polo, « l'homme qui a découvert les pâtes » ?

Les Étrusques mangeaient déjà des pâtes

L'histoire souvent évoquée selon laquelle ce serait Marco Polo qui aurait « découvert » les pâtes et qui les aurait triomphalement rapportées dans son Italie natale est certes très belle, mais malheureusement pas du tout conforme à la réalité, car de nombreux détails incitent à penser que les Étrusques, peuple autrefois installé dans l'actuel centre de l'Italie et culturellement et politiquement florissant entre 1 000 et 400 ans av. J.-C., connaissaient déjà les pâtes.

De plus, le livre de cuisine rédigé par le gourmet romain Apicius au 1er siècle de notre ère mentionne plusieurs recettes de pâtes. Le géographe arabe Idrisi décrit lui-même en 1154, à savoir exactement 100 ans avant la naissance de Marco Polo à Venise, la fabrication de pâtes extrêmement fines en « quantités énormes » et ce, en Sicile. Des fouilles archéologiques attestent en outre que les pâtes ont très tôt enrichi la ration alimentaire des gens en Grèce et en Égypte.

Comparaison de la consommation de pâtes

Que disent les statistiques ?

Sachant que la consommation annuelle de pâtes atteint 25,8 kg par habitant en Italie, il faut se rendre à l'évidence : il nous reste encore du chemin avant de rattraper l'Italie.

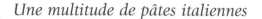

Une multitude de pâtes italiennes

Les Italiens sont passés maîtres dans l'art d'inventer les variétés et les formes de pâtes les plus extraordinaires. Buitoni, la plus ancienne fabrique de pâtes d'Italie, propose ainsi plus de 200 sortes de pâtes différentes. Derrière cette folie créatrice se cache, outre une imagination débordante, une philosophie de vente très particulière : chaque forme de pâte ne peut développer pleinement sa saveur qu'agrémentée de sa sauce spécifique et faite sur mesure !

Plus de 200 sortes de pâtes originales

Pâtes italiennes et pâtes françaises

Les pâtes italiennes ont depuis longtemps conquis le marché français et les Français consomment donc surtout des pâtes italiennes. Mais il existe une tradition alsacienne de fabrication des pâtes à partir de blé dur ou tendre, d'eau et d'œufs qui diffère en cela beaucoup de la recette italienne à base uniquement de semoule de blé dur et d'eau. Contrairement aux pâtes françaises, les pâtes italiennes renferment donc des glucides et des fibres, mais ni graisse, ni cholestérol. Elles rassasient et ne font pas grossir quand elles sont consommées nature.

Fruits et légumes : couleur et diversité

Des traditions de l'Antiquité

Les choux en tous genres et les légumes-racines traditionnels figuraient déjà au menu des peuples de l'Antiquité. L'oignon, l'ail et le radis jouaient un rôle prépondérant dans l'alimentation des premiers bâtisseurs de pyramides et les asperges elles-mêmes enrichissaient déjà les repas de fête des pharaons. Le fenouil et l'artichaut, aujourd'hui considérés comme des légumes typiquement méditerranéens, étaient déjà connus et appréciés des Romains. Les légumineuses (légumes à gousses) étaient aussi un met déjà apprécié il y a des millénaires. Leur rôle dans l'alimentation n'a diminué que suite à l'introduction dans l'Ancien Monde des nombreuses variétés de légumes découvertes dans le Nouveau.

Les légumes hauts en couleur du Nouveau Monde

Mais tout ce qui met de la couleur sur notre table et bon nombre des légumes si appétissants qui égayent nos flâneries sur les marchés méridionaux ont été rapportés du Nouveau Monde dans l'Ancien, le nôtre, par Christophe Colomb. À commencer par la tomate, devenue indissociable de la cuisine méditerranéenne actuelle, mais aussi des différentes variétés de poivrons verts, jaunes et rouges.

La « découverte » de l'Amérique : un enrichissement pour la cuisine

Les cornes de bœuf (*peperoni*), les courges et les courgettes, et, bien sûr, les pommes de terre, qui tiennent une place particulière dans la nouvelle cuisine espagnole, en font également partie. L'aubergine d'un beau violet est en revanche arrivée d'Inde il y a de nombreux siècles. Les parfums, les couleurs et la diversité des variétés proposées par les marchands constituent déjà en soi un véritable plaisir des sens.

Les fruits et légumes sont sains : oui et pourtant…

Des constituants et des substances bioactives précieux

Les fruits et légumes renferment des vitamines, des sels minéraux, des fibres, des oligo-éléments et des substances bioactives précieux. Vous trouverez au chapitre suivant (page 37) une explication détaillée de la nature de ces substances, de la manière dont elles agissent et de leur influence sur notre santé. Mais nous voulons d'abord vous montrer la

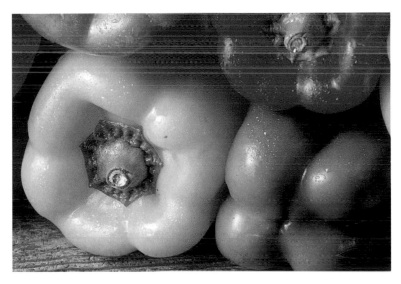

Les poivrons n'ont été introduits dans les plats européens qu'après le retour d'Amérique de Christophe Colomb

Les fruits et légumes occupent une place de choix dans le régime méditerranéen

place privilégiée que fait l'alimentation méditerranéenne aux fruits et légumes comparativement aux régimes alimentaires des autres régions.

Car bien que la phrase « Les fruits et légumes sont bons pour la santé » fasse aujourd'hui figure de lapalissade, il n'en est pas moins vrai que leur consommation par habitant est toujours nettement inférieure sur l'ensemble de la France que dans les pays méditerranéens.

Comparaison des consommations de fruits et légumes

Les statistiques de l'agriculture ne peuvent donner de la consommation effective de fruits et légumes que des informations approximatives, puisqu'elles ne tiennent compte ni du gâchis, ni des déchets. Elles ne renseignent pas non plus sur la quantité de produits issus des cultures potagères privées. Pourtant, la comparaison des statistiques internationales fait ressortir des écarts très nets entre la France d'une part, et l'Italie, l'Espagne et la Grèce d'autre part.

Dans ces pays, la consommation par habitant s'élève ainsi à 200 kg pour les légumes et à 120 kg pour les fruits. Si la quantité de fruits consommés par les Français est à peu près similaire, celle de légumes est en revanche deux fois moins importante. Les nutritionnistes estiment néanmoins que, pour notre santé et pour notre espérance de vie,

Doubler notre consommation de légumes !

notre consommation de légumes devrait augmenter de manière à approcher celle de ces pays.

Remplacer les gâteaux par des fruits

Si l'on en croit les statistiques, la France consomme donc à peu près autant de fruits que les pays méditerranéens. Une différence fondamentale existe néanmoins quant au moment et à la manière de les consommer.

Les chiffres relativement élevés s'expliquent par le fait qu'en France, une bonne partie des fruits est consommée sous forme de jus ou de préparations diverses, comme les yaourts ou la confiture, alors que dans les pays méditerranéens, les fruits sont généralement proposés frais aux repas. Les melons et les figues se mangent par exemple en entrée, accommodés de délicieuses préparations et il n'est pas rare que le dessert soit un plateau chargé de fruits en tout genre et complété le cas échéant de fromage. Les vertus des éléments nutritifs contenus dans les fruits sont en grande partie identiques à ceux des légumes. Mais nous en reparlerons en détail dans le paragraphe sur les substances végétales secondaires.

Important : la toute première fraîcheur des fruits et des légumes

Basilic et autres herbes aromatiques

Se passer d'herbes aromatiques est inconcevable dans la cuisine méditerranéenne. Elles sont appréciées depuis des siècles, voire des millénaires, même si cela a d'abord été surtout pour leurs vertus médicinales. Bon nombre d'herbes ont aujourd'hui encore leur place dans la cuisine et dans les thérapies naturelles. On utilise ainsi le basilic cru contre la perte de l'appétit ou de la sensation de satiété. En cuisine, il est indispensable à la préparation du pistou (pesto italien) ou des tomates à la mozzarella. Il se marie généralement bien avec tous les plats à base de tomates, mais aussi avec les aubergines, les courgettes et les champignons, les sauces de salade, le poisson cuit à la vapeur et les fruits de mer. Le basilic est toujours ciselé frais directement sur les plats, car il perd son arôme à la cuisson, au séchage et à la congélation.

Sauge

La sauge fait de la *saltimbocca* (voir page 88) une vraie merveille gastronomique et épice délicieusement la viande de veau, d'agneau et de porc. Elle apporte en outre une note originale aux légumes à gousses, aux pâtes et aux tomates. Elle peut être séchée et congelée. Les infusions de feuilles de sauge filtrées et utilisées en gargarisme soulagent les inflammations buccales et le mal de gorge (pharyngites).

La sauge a aussi des vertus médicinales

ASTUCE !

Infusion de thym ou de romarin : mode de préparation
Versez 150 ml d'eau bouillante sur 1 cuillère à café de feuilles de thym ou de romarin et laissez infuser 15 minutes. Filtrez, laissez un peu refroidir, puis buvez à petites gorgées.

Romarin

Le romarin apporte la richesse de son arôme incomparable aux gigots d'agneau et aux poissons. Il se marie également très bien avec la viande hachée et les tomates, les courgettes, les aubergines et les pommes de terre. Il est de plus absolument « incontournable » dans les pizzas, quelles qu'elles soient. Le romarin peut être séché.
Pour éviter que l'on ne tombe sur des feuilles entières, hachez-le grossièrement au couteau quand il est frais et émiettez-le entre vos doigts une fois sec. Les infusions de romarin soulagent les maux d'origine gastrique, intestinale et biliaire, tandis que les bains à l'huile essentielle de romarin sont apaisants et décontractants.

Thym

Le thym s'harmonise avec tous les plats de légumes, de viande et de poisson méridionaux. Il supporte parfaitement le séchage. Du fait de son action expectorante et antibactérienne, il est employé dans les cas de maladies aiguës et chroniques des bronches et contre la toux.

Origan

L'origan, ou marjolaine sauvage, est indispensable dans de nombreuses sauces et préparations à base de tomates. Mais c'est dans les salades de fromage de brebis et sur les pizzas qu'il développe au mieux son arôme inimitable. Il donne un goût particulier aux plats de viande, comme le gyros.

À utiliser frais ou séché

Avec le thym et le romarin, c'est l'un des aromates de base des herbes de Provence. Il peut s'employer frais ou séché. Riche en amers, il facilite la digestion des plats un peu gras. Il passe pour avoir des vertus antispasmodiques et expectorantes, mais aussi anti-inflammatoires.

ASTUCE !

Votre jardin d'aromates

Toutes les herbes mentionnées peuvent être cultivées en pots sur le rebord de la fenêtre ou sur le balcon. Si elles poussent trop vite, vous pouvez soit les sécher, soit les congeler sans qu'elles perdent trop de leur arôme.

Poisson et fruits de mer : le cadeau de Poséidon

Le poisson était déjà apprécié dans l'Antiquité

Les Grecs anciens tenaient en haute estime les richesses sur lesquelles Poséidon, leur dieu de la mer, régnait en protecteur. Ce n'est donc pas un hasard si le marché aux poissons, où l'on vendait évidemment aussi des fruits de mer en tous genres, constituait la partie la plus bruyante et la plus vivante de l'agora, l'antique place du marché. Il n'en allait pas autrement chez les Romains, si ce n'est que leur dieu de la mer s'appelait Neptune.

Car le poisson et les fruits de mer ne viennent pas seulement enrichir

Les marchés des pays méditerranéens proposent le même choix de poissons qu'autrefois

les menus pour notre plus grand plaisir : ils sont également très sains. Il n'est donc pas étonnant qu'ils comptent aujourd'hui encore parmi les ingrédients privilégiés de la cuisine méditerranéenne. La diversité des espèces et des goûts qu'apportent les poissons et les fruits de mer sur nos tables, leur chair tendre et leur couleur, qui peut varier du blanc porcelaine le plus délicat au rouge le plus vif, offre à notre palais des plaisirs presque infinis. À cette opulence marine viennent encore s'ajouter toutes sortes de poissons d'eau douce, dont les truites et les carpes. Contrairement aux habitudes alimentaires du nord et du centre de l'Europe, où le poisson constitue un plat à lui tout seul, le poisson et les fruits de mer sont souvent associés à la viande dans la cuisine méditerranéenne. La paella (voir page 81), spécialité nationale espagnole, en est un exemple typique.

Une grande diversité d'espèces et de goûts

Le poisson et la viande : associés dans les plats méditerranéens

Le poisson, c'est bon pour la santé !

La plupart des poissons ont une chair maigre et facile à digérer. Les poissons de mer contiennent de nombreux sels minéraux précieux, dont l'iode, qui n'est présente qu'en quantité négligeable dans les autres aliments. Ils fournissent en outre du calcium et du phosphore. Les poissons gras tel que le hareng, le maquereau et le saumon renferment des acides gras poly-insaturés qui protègent des maladies car-

Le poisson est maigre et facile à digérer

dio-vasculaires. Pour en savoir plus, reportez-vous au chapitre 3 (page 61).

La cuisine méditerranéenne traditionnelle privilégie cependant surtout les poissons maigres comme la brème, la sardine ou l'espadon et les fruits de mer comme les moules, les calmars et les crevettes.

Huile d'olive : l'« or liquide »

Peu de végétaux ont été l'objet, et depuis aussi longtemps, d'une telle vénération que l'olivier. Au cœur d'innombrables légendes et croyances, il a été chanté par les poètes et immortalisé par les peintres. Pourtant, personne ne sait exactement depuis quand l'homme utilise ses fruits.

Ce qui est sûr, c'est qu'on faisait déjà des réserves d'huile d'olive à l'âge de la pierre et que les anciens Minoens de Crète savaient déjà exploiter l'olivier, puisqu'ils avaient établi un commerce d'huile d'olive florissant avec l'Égypte et la Syrie. Des amphores et des tablettes exhumées lors des fouilles du palais de Cnossos en Crète en témoignent.

L'olivier fut jadis répandu dans tout le Bassin méditerranéen par le grand peuple de marins qu'étaient les Phéniciens. Un décret de la Grèce ancienne, révélateur du respect que l'on témoignait à cet « arbre à huile sacré », punissait sévèrement tout paysan qui en abattait plus de deux.

L'« arbre à huile sacré » de l'Antiquité

Mythes et légendes

Le sculpteur grec Phidias réalisa au ve siècle av. J.-C. la frise du temple de la déesse Athéna sur l'Acropole d'Athènes, le célèbre Parthénon. Cette frise raconte le mythe de la fondation d'Attica, l'une des deux plus grandes cités-États de la Grèce ancienne avec

Sparte. Athéna et son frère Poséidon se livraient une guerre acharnée pour la conquête de cette région. Pour pouvoir les départager et mettre un terme à cette lutte de pouvoir, un concours fut organisé dans lequel ils devaient montrer ce qu'ils étaient respectivement capables de faire pour la communauté. Poséidon, le dieu de la mer, frappa le sol de son trident et une source d'eau salée jaillit à cet endroit. Athéna planta une olive dans la terre et un arbre puissant surgit. Ses fruits dispensèrent aux humains un jus délicieux qui leur servit à guérir leurs maladies, à soigner leur corps et à s'alimenter. Voyant cela, Zeus, juge suprême, trancha en faveur d'Athéna qui devint ainsi la patronne d'Attica et donna son nom à la capitale.

Les olives sont encore récoltées à la main de nos jours : un dur labeur, mais qui en vaut la peine

L'olivier a en outre toujours été le symbole de la vie. Dans la Bible, par exemple, la colombe de Noé revient à l'arche avec une branche d'olivier dans le bec et Moïse oint l'autel, l'arche d'alliance et ses fils d'huile d'olive. Les rois israélites étaient également sacrés avec cette huile.

Un symbole de vie

L'huile d'olive dans la cuisine

Comme pour le vin et de nombreux autres produits naturels, il existe des qualités très différentes d'huile d'olive. La variété, le sol, le climat, la saison de la récolte et le processus de transformation sont déterminants. Les différentes désignations italiennes de qualité se sont aujourd'hui imposées dans la langue culinaire du monde entier et c'est celles que nous utiliserons ici.

Une multitude de goûts différents

L'huile d'olive extra vierge de première pression à froid (*olio extra vergine di oliva*) correspond à la meilleure qualité. C'est aussi la plus parfumée. Viennent ensuite

Les différentes qualités la *olio sopraffino vergine di oliva* et la *olio fino vergine di oliva*. La moins bonne qualité d'huile pressée à froid est l'huile d'éclairage. Son goût est généralement très médiocre et, comme son nom l'indique, elle servait autrefois de carburant pour les lampes. Il existe aussi de l'huile d'olive raffinée : elle est le plus souvent coupée avec de l'huile d'olive pressée à froid et commercialisée sous le nom d'huile d'olive 100 % pure. Ce qualificatif signifie seulement qu'elle est produite exclusivement à partir d'olives, il ne renseigne pas sur sa qualité.

L'huile d'olive peut enfin varier de goût en fonction de l'origine et de la variété même des olives pressées. L'idéal, quand c'est possible, est de la goûter avant de l'acheter ou d'en acheter de différentes sortes en petite quantité.

Mais pour faire de la bonne cuisine, mieux vaut n'acheter que la toute première qualité, c'est-à-dire l'huile d'olive extra vierge de première pression à froid.

Il existe plusieurs qualités d'huile d'olive. La meilleure est celle de première pression à froid

Qu'est-ce qui rend l'huile d'olive si précieuse ?

Les graisses ne sont pas toutes identiques. L'élément déterminant dans l'évaluation de la qualité nutritionnelle d'une graisse est sa composition. Les graisses sont composées de différents constituants dont les plus importants sont les acides gras. On distingue les acides gras saturés, mono-insaturés et poly-insaturés. Selon les découvertes scientifiques les plus récentes, l'apport idéal en graisses se composerait d'environ la moitié d'acides gras mono insaturés et d'un quart d'acides gras saturés et poly-insaturés.

L'huile d'olive peut renfermer jusqu'à 75 % d'acides gras mono-insaturés, c'est-à-dire d'acide oléique, alors que les autres huiles végétales telles l'huile de chardon-marie, l'huile de tournesol, l'huile de maïs et l'huile de soja contiennent jusqu'à 60 % d'acides gras poly-insaturés, c'est-à-dire d'acides linoléique et linolénique. L'huile d'olive pressée à froid offre, en plus d'une bonne proportion d'acides gras, de nombreux nutriments comme la vitamine E et d'autres substances végétales secondaires (voir page 44) qui préserve le cholestérol sanguin des réactions d'oxydation et de leurs conséquences.

L'huile d'olive : comparaisons

Un verre de vin rouge au repas : obligatoire

Un poisson doit nager trois fois

Selon un ancien dicton méditerranéen, un poisson doit nager trois fois : d'abord dans l'eau, puis dans l'huile et enfin dans le vin. Il en découle deux constatations : la première, c'est l'importance du vin dans l'alimentation quotidienne, la deuxième sa présence comme boisson aux repas.

Petite histoire du vin

Les boissons alcoolisées, que ce soit la bière ou le vin, existent dans toutes les civilisations depuis des temps immémoriaux. En Mésopotamie et en Égypte, à l'époque biblique et dans l'Antiquité, on savait déjà exploiter la fermentation alcoolique et apprécier ses propriétés stimulantes. Dans la Bible, quand la colombe revient à l'arche après le Déluge avec une branche d'olivier dans le bec pour annoncer que la terre et les champs ne sont plus submergés, la première chose que Noé plante c'est une vigne ! L'huile et le vin : un accord parfait, apparemment depuis toujours autorisé par les dieux.

Le vin renforce la santé

Le vin passe également depuis toujours à la fois pour un plaisir et pour un remède. Ainsi Paul écrit-il à Timothée : « Ne bois plus d'eau, mais offre-toi un peu de vin pour le bien de ton estomac, puisque tu es si souvent malade. » De nombreuses vieilles recettes associent le vin et les plantes médicinales et les Grecs Hippocrate et Asclépiade l'employaient autrefois pur dans leur médecine. Car on savait déjà dans l'Antiquité que le vin détruit les bactéries et les agents pathogènes. On ne donnait d'ailleurs à boire, même au plus modeste soldat, que de l'eau mélangée à du vin pour renforcer sa santé et sa vigueur.

Vin : plaisir et remède tout à la fois

Vin et plantes médicinales

Recommandations des autorités sanitaires américaines

Les autorités sanitaires américaines, pourtant très réticentes dans ce domaine, ont fait sensation en 1996 avec l'annonce de leurs nouvelles

directives nutritionnelles stipulant que la consommation quotidienne modérée de vin au moment des repas était bonne pour la santé.

Il y était expressément question de consommation de vin aux repas, pratique depuis toujours en usage dans les pays méditerranéens. Les autorités sanitaires américaines fondaient leurs recommandations sur les résultats de nombreuses recherches scientifiques qui établissaient que la consommation modérée d'alcool augmentait l'espérance de vie, contrairement à une abstinence totale.

Pourquoi le vin est-il bon pour la santé ?

Le vin est une boisson faiblement alcoolisée. Le boire en mangeant, c'est permettre à l'alcool d'agir de manière optimale puisqu'il n'est pas absorbé trop vite par le sang et qu'il peut ainsi déployer toute son action antibactérienne dans le système digestif.

Le vin rouge mûrit dans de grands fûts jusqu'à ce qu'il ait atteint l'excellence

En petites quantités, l'alcool protège le cœur en favorisant le métabolisme du cholestérol (voir page 38). Le vin renferme en outre d'autres substances précieuses pour la santé : les composés phénoliques (polyphénols). Pour en savoir plus sur le mode d'action exact de ces constituants, reportez-vous au chapitre suivant (page 37).

Une action protectrice pour le cœur

Une gorgée de bonheur

Il conviendrait aussi de ne pas sous-estimer l'aspect « communication » du vin. Un verre de vin au repas est conseillé non seulement pour ses vertus thérapeutiques, mais aussi pour son effet euphorisant et sa capacité à favoriser les échanges, bref : c'est aussi un instant de bonheur.

Et c'est exactement sous cet angle que nous devrions considérer le mode d'alimentation méditerranéen en général.

Un verre de vin au repas renforce notre santé

Forme et santé avec le régime méditer- ranéen

Si le mode d'alimentation méditerranéen est le plus apte à nous maintenir en forme et en bonne santé, c'est grâce à l'association déterminante de deux caractéristiques : une composition idéale en éléments nutritifs et une saveur exceptionnelle.

Dans le chapitre suivant, nous nous pencherons d'abord sur les constituants des principaux aliments de la cuisine méditerranéenne.

Vous apprendrez ensuite quels sont les facteurs de risques des maladies cardio-vasculaires tant redoutées, mais aussi pourquoi et comment vous en protéger au moyen d'un régime alimentaire adapté.

Régime méditerranéen et prévention

La composition du régime méditerranéen traditionnel, avec son association d'éléments nutritifs et de constituants caractéristiques, a un effet bienfaisant sur la santé. Cette influence s'exerce surtout dans la prévention des maladies coronariennes et, comme on l'a découvert entre-temps, dans la protection contre le cancer.

Une composition idéale en graisses

En Méditerranée, la cuisine se fait traditionnellement à l'huile d'olive et les aliments d'origine animale n'apparaissent que rarement sur la table (voir la pyramide des aliments à la page 18). On parvient ainsi à l'équilibre recherché en acides gras, c'est-à-dire une forte proportion d'acides gras insaturés et plus faible d'acides gras saturés (voir aussi page 32).

Car les graisses animales contenues dans la viande et dans les laitages se composent de 30 à 70 % d'acides gras saturés. Absorbés en trop grande quantité, ces derniers augmentent le taux de cholestérol sanguin en proportion, alors que les acides gras mono et poly-insaturés l'abaissent.

Acides gras et taux de cholestérol

En matière de cholestérol, on distingue les lipoprotéines de faible densité (LDL), ou « mauvais » cholestérol, et les lipoprotéines de haute densité (HDL), ou « bon » cholestérol. Le premier augmente les risques de maladies vasculaires, alors que le second protège au contraire les vaisseaux. Pour diminuer les risques d'athérosclérose, il est donc souhaitable de maintenir le mauvais cholestérol à un faible taux et d'augmenter celui du bon cholestérol (pour plus de détails, voir page 54). Pour cela, il suffit d'accroître l'apport d'acides gras

Les oméga-3 du poisson et des fruits de mer sont particulière-ment sains

mono-insaturés et de diminuer simultanément celui des acides gras saturés. Conclusion : la cuisine méditerranéenne contribue à équilibrer le taux de cholestérol et à maintenir les vaisseaux dans une santé optimale.

Les huiles de poisson

Le poisson et les fruits de mer, qui entrent pour une part non négligeable dans le régime méditerranéen, sont aussi des animaux. Mais leurs graisses, communément appelées huiles de poisson, renferment du docosahexaène (DHA) et de l'éicosapentaène (EPA). Ces acides gras poly-insaturés en oméga-3 réduisent à leur tour le taux d'autres lipides sanguins, les triglycérides, améliorant ainsi la fluidité du sang et empêchant l'agglutination des plaquettes sanguines. Ils préservent donc de la thrombose et de l'infarctus du myocarde.

Fluidité du sang

Comment fonctionnent les huiles hydrogénées ?

Les huiles hydrogénées (matières grasses solidifiées) se rencontrent principalement dans la margarine et les autres matières grasses utilisées pour la cuisson ou la friture, ainsi que dans les aliments industriels qu'elles servent à préparer. Le processus de solidification des huiles végétales en graisses hydrogénées entraine la formation d'acides gras de configuration <u>trans</u> qui ont les mêmes effets négatifs sur la cholestérolémie que les acides gras saturés. Cela signifie qu'ils favorisent la formation du mauvais cholestérol (LDL) et qu'ils accroissent en même temps les risques de maladies vasculaires. Le régime méditerranéen ne renferme pratiquement pas d'huiles hydrogénées puisqu'il utilise en priorité l'huile d'olive.

Sucre et amidon

Les glucides et les fibres sont apportés exclusivement par les aliments d'origine végétale, c'est-à-dire les fruits, les légumes et les céréales et produits céréaliers comme le pain et les pâtes. À poids égal, les glucides fournissent la moitié des calories apportées par les lipides. Dans une alimentation saine, la part des glucides doit représenter plus de 50 % de l'apport énergétique total.

Les fruits et légumes sont riches en fibres

Glucides simples et complexes

On distingue les glucides simples et les glucides complexes. Les premiers correspondent à diverses variétés de fructoses, les seconds ap-

Un régime riche en glucides et en fibres

proximativement à l'amidon des céréales. Dans les produits naturels d'origine végétale, les glucides sont présents au même titre que les fibres. Ces dernières agissent de telle sorte que les glucides, et avec eux les sucres rapides, sont assimilés plus lentement par le corps, empêchant ainsi un accroissement trop rapide du taux de sucre dans le sang (voir page 56).

Fibres solubles et insolubles

On distingue à nouveau deux types de fibres : les fibres solubles et les fibres insolubles. Parmi les premières, citons la pectine des fruits et des légumes, et parmi les secondes, la cellulose, surtout présente dans les céréales et produits dérivés. Les légumes à gousse renferment les deux types.

Pectine et cellulose

Les fibres insolubles procurent une sensation durable de satiété et une bonne digestion. Elles ont donc aussi une action préventive contre les maladies du côlon. Les fibres solubles se lient avec les acides biliaires de l'intestin et permettent ainsi de les évacuer. Pour se former à nouveau, les acides biliaires utilisent du cholestérol. Ils font donc baisser proportionnellement son taux dans le sang. Le cholestérol alimentaire, qui se lie également aux fibres solubles dans le système digestif, est éliminé dans les selles.

Des vitamines et des sels minéraux en quantité

Les vitamines et les sels minéraux sont des nutriments vitaux pour l'organisme, car ils participent aux différents processus du métabolisme. Le corps n'en exige certes que de petites quantités, mais une carence même infime de ces nutriments peut déjà nuire à la santé. Car ils sont absolument indispensables aux réactions biochimiques qui se produisent dans l'organisme et comme ils sont détruits au cours du processus, ils doivent être constamment remplacés.

Une carence, même infime, nuit déjà à la santé

Actions et fonctions des vitamines

Les vitamines participent à la transformation de l'énergie alimentaire

Important
pour le
métabolisme

en énergie corporelle, c'est-à-dire aux processus du métabolisme de l'organisme. Elles construisent les enzymes, les hormones, les cellules sanguines et les tissus, et renforcent les défenses du corps contre les infections. Actuellement, les vitamines antioxydantes suscitent le principal intérêt des nutritionnistes. Quelles sont ces vitamines et quelles répercussions spécifiques ont-elles sur notre alimentation et sur notre santé ?

Vitamines antioxydantes

Outre leur fonction courante, la provitamine A, la vitamine C et la vitamine E ont une action antioxydante. Comme on le sait aujourd'hui, des processus d'oxydation se produisent dans le corps qui libère les fameux « radicaux libres ». Il s'agit de molécules d'oxygène extrêmement agressives et capables de détruire les cellules de l'organisme. Les trois vitamines mentionnées ci-dessus permettent de neutraliser ces radicaux libres. Elles fonctionnent un peu comme un « antirouille » contre l'oxydation (nous y reviendrons plus en détails page 57 à propos de l'athérosclérose).

Radicaux
libres

Acide folique

L'acide folique est un autre représentant important du groupe des vitamines. Une carence en acide folique chez les femmes enceintes peut par exemple entraîner des anomalies du canal rachidien chez les nouveau-nés. Ces anomalies, appelées *spina bifida*, peuvent être à l'origine de graves troubles neurologiques et fonctionnels.

Carence en
acide folique :
un facteur
de risque

Les carences en acide folique contribuent en outre à une augmentation du taux d'homocystéine dans le sang, aujourd'hui identifiée comme un facteur de risque de l'athérosclérose (page 58).

Actions et fonctions des sels minéraux

Les sels minéraux sont des substances non organiques que le corps n'utilise qu'en quantités infimes, mais qui sont néanmoins absolument indispensables à une multitude de réactions biochimiques. Ils entrent notamment dans l'excitabilité nerveuse et la contraction musculaire, la formation des cellules sanguines et le transport de l'oxygène, la constitution des os et des dents, la régulation de l'équilibre en eau et dans bien d'autres réactions encore. Les sels minéraux sont en

Les sels
minéraux
doivent être
remplacés

grande partie éliminés dans la sueur et l'urine et doivent donc être remplacés en permanence.

Magnésium, potassium, sélénium et iode

Parmi les sels minéraux citons d'abord le magnésium, bien connu pour ses vertus protectrices du cœur, mais aussi le potassium, qui normalise la tension artérielle, le sélénium, qui participe aux processus antioxydants et constitue un moyen de lutte contre le cancer en favorisant la formation de mécanismes de défense contre la dégénérescence cellulaire, et enfin l'iode, importante pour la fabrication de la thyroxine (hormone de la glande thyroïde).

Les vitamines et les sels minéraux existent en quantité suffisante dans le régime méditerranéen puisqu'il est très riche en fruits et légumes. Le poisson, les produits céréaliers, les légumes à gousse, les pommes de terre, les noix et l'huile d'olive sont d'autres sources importantes de précieux nutriments pour le maintien de la santé.

Les armes des plantes à notre service

Qu'elles soient exposées aux bactéries, aux champignons, aux ravageurs ou à d'autres menaces, les plantes ne sont que rarement endommagées dans leur habitat naturel. Car elles disposent d'armes de protection pour se défendre de tous ces dangers et pour les tenir à distance. Certaines plantes sont même capables de les fabriquer en quelques minutes pour couper définitivement l'appétit à leurs ennemis. Les pétales colorés de leurs fleurs attirent les insectes qui assurent ainsi leur propagation. Les colorants et les arômes contenus dans leurs fruits servent à attirer les oiseaux et les autres animaux qui s'en nourrissent et en disséminent ainsi les graines. D'autres substances encore régulent la croissance des plantes. Ce sont ces « armes » que l'on appelle « substances végétales secondaires » et qui, par rapport aux constituants primaires que sont les glucides, les lipides et les pro-

Substances
végétales
secondaires

téines, ne sont présentes qu'en quantité infinitésimale. Or, ces substances ont une fonction précieuse dans l'organisme humain.

Utilité et efficacité

Les effets sur l'organisme humain de bon nombre de ces substances végétales ne sont pas encore connus. La recherche va donc bon train pour essayer d'en découvrir les mécanismes. Des études scientifiques sont par exemple en cours dans une université allemande sur les propriétés anticancéreuses de *Hericium erinaceus*, un champignon originaire de Chine. On a en effet observé que les médecins chinois prescrivent des comprimés renfermant les substances actives de ce champignon à leurs patients. Plus la science progresse, plus il devient clair que la compréhension du mode de fonctionnement global passe nécessairement par la connaissance préalable de l'interaction des éléments isolés.

De vastes recherches

Exemple : Hericium erinaceus

D'innombrables substances végétales secondaires

S'il est vrai que jusqu'ici seule une centaine des quelque cent mille substances végétales secondaires découvertes dans les aliments a fait l'objet de recherches plus poussées, il n'en reste pas moins que ces substances jouent un rôle important dans une alimentation saine. C'est presque quotidiennement que l'on découvre de nouveaux constituants dont le rôle, à l'examen, s'avère extrêmement utile et précieux. Les aliments d'origine végétale sont l'un des piliers de la diète méditerranéenne et il semble donc que l'excellent état de santé des populations locales s'explique en bonne part par une consommation supérieure à la moyenne de ces produits. Si les nutritionnistes ont jusqu'ici soutenu la thèse qu'une alimentation saine reposait certes sur un apport calorique correspondant aux besoins, mais surtout sur l'apport en juste proportion des principaux éléments nutritifs, à savoir les protéines, les lipides et les glucides, on accorde de plus en plus d'importance aujourd'hui aux effets protecteurs des substances végétales secondaires. Nous vous en présentons ci-après les principaux groupes et la façon dont ils contribuent à nous maintenir en bonne santé.

Important pour une alimentation saine

Carotinoïdes

Les carotinoïdes sont présents dans le monde végétal sous la forme de colorants jaunes, oranges et rouges. Les plus célèbres et les mieux connus sont le bêta-carotène et le lycopène.

Végétaux rouges et orangés

Béta-carotène

Le bêta-carotène se rencontre avant tout dans les végétaux jaunes et orangés et plus précisément dans les carottes, les poivrons, les abricots et le melon, mais aussi dans les épinards, les brocolis et les herbes aromatiques. C'est un précurseur de la vitamine A, c'est pourquoi on l'appelle aussi « provitamine A ». La provitamine A est un antioxydant (voir page 42) qui protège les cellules de l'organisme contre les effets destructeurs des processus d'oxydation et celles de la peau contre l'influence néfaste des rayons UV. Le bêta-carotène a une action très proche du lycopène, dont on sait maintenant qu'il possède des propriétés antioxydantes encore bien supérieures.

Propriétés antioxydantes

Lycopène

La tomate est le végétal le plus riche en lycopène. On en trouve également dans tous les produits dérivés de la tomate et même dans le concentré de tomate. Le lycopène, qui donne sa couleur rouge au

Les tomates sont très riches en lycopène

fruit, possède avant tout d'importantes propriétés antioxydantes (voir page 42). Il est en effet capable de neutraliser, et donc de mettre hors d'état de nuire, les radicaux libres qui contribuent à déclencher certains processus d'oxydation responsables de la formation du mauvais cholestérol. Il protège nos vaisseaux, puisque le mauvais cholestérol (voir page 57) est le principal facteur d'apparition de l'athérosclérose et de ses conséquences possibles, l'ischémie (ralentissement de la circulation sanguine dans les artères), l'accident vasculaire cérébral et l'infarctus.

Polyphénols

Présents dans presque tous les végétaux

Les polyphénols forment un vaste groupe de substances végétales secondaires présentes dans presque tous les végétaux. On en trouve dans les épices et dans les herbes aromatiques, dans les fruits et les légumes, dans les noix et les produits céréaliers, mais aussi dans le café et le thé. Les polyphénols se subdivisent en plusieurs sous-groupes dont les principaux sont les flavonoïdes, les acides phénoliques et les anthocyanes.

Flavonoïdes

Efficace dans tous les tissus

Les flavonoïdes comptent probablement parmi les antioxydants les plus efficaces. Cette propriété repose principalement sur le fait qu'ils sont à la fois solubles dans l'eau et dans les lipides. Comparées à la vitamine C, uniquement active dans le plasma, ou à la vitamine E, qui n'agit que sur les membranes cellulaires et sur le mauvais cholestérol, les flavonoïdes sont efficaces dans les deux domaines. Les anthocyanes font également partie des flavonoïdes. Elles donnent leur couleur rouge, violette ou bleue à de nombreuses plantes. Le raisin noir en contient et, par suite, le vin rouge, ce qui explique son effet protecteur sur le cœur et les vaisseaux. Elles bloquent l'oxydation du mauvais cholestérol et empêchent en même temps les plaquettes sanguines de s'agréger pour former des caillots. Elles éliminent ainsi les risques de thrombose.

Acides phénoliques

Les acides phénoliques sont surtout présents dans les noix et les fruits rouges, mais aussi dans le thé noir et vert. On leur prête un rôle de défense contre les maladies cancéreuses, en ce qu'ils protègent d'abord le matériel génétique des substances cancérigènes. Dotés en outre de propriétés antimicrobiennes et antivirales, ils sont capables de neutraliser les bactéries et les virus qui menacent notre santé.

Glucosinolates

Les glucosinolates n'existent que dans les végétaux de la famille des cruciformes, à savoir toutes les variétés de choux, dont notamment les brocolis, mais aussi les radis, le raifort, la moutarde et quelques légumes-racines comme les rutabagas ou certains navets. Ce sont les glucosinolates et leurs dérivés qui donnent aux radis leur goût spécifique. Ces produits résultent d'une fragmentation par oxydation et accélèrent l'activité des enzymes de détoxication sur laquelle reposent leurs effets anticancéreux. Il existe plusieurs groupes de ces produits, dont les huiles de moutarde, aux vertus antibactériennes et antivirales, mais aussi l'indole, qui réduit le taux de cholestérol.

Des dérivés bons pour la santé

Sulfides

Des substances aux innombrables propriétés

Les sulfides sont des composés de soufre et sont surtout présents dans les oignons, les poireaux et l'ail. Ils sont antibactériens et antioxydants (voir page 42), mais protègent également le cœur. De plus, ils abaissent le taux de cholestérol, régulent la tension, améliorent la fluidité du sang et empêchent l'agglutination des plaquettes, prévenant ainsi les risques de thrombose. Des études internationales reconnues leur attribuent en outre un rôle important dans la prévention du cancer de l'estomac.

Phytostérine, saponine et monoterpène

La phytostérine se rencontre dans les parties grasses des végétaux, notamment les graines de sésame et de tournesol, mais aussi dans les huiles végétales biologiques. Elle réduit le taux de cholestérol et préserve du cancer de l'intestin. La saponine est surtout présente dans les légumes à gousse, mais aussi dans les herbes aromatiques comme la sauge et le romarin. Elle renforce le système immunitaire et abaisse la cholestérolémie. Le monoterpène se trouve dans la menthe, les huiles essentielles d'agrumes et les épices comme le cumin. Il renforce la

Des fonctions protectrices multiples

fonction de détoxication du foie et réduit les effets cancérigènes des nitrosamines. Les nitrosamines se forment à l'intérieur de l'organisme ou sont absorbées avec l'alimentation : la viande grillée ou les salaisons, par exemple.

C'est le mélange qui fait tout

D'après les résultat de recherche les plus récents, on sait aujourd'hui que les tous groupes de nutriments et toutes les substances bioactives mentionnés précédemment ne déploient leur efficacité optimale qu'en association avec d'autres substances végétales, qu'elles soient connues ou encore inconnues. Prenons par exemple les anthocyanes de la page 46. Elles sont utilisées comme colorant dans l'industrie agro-alimentaire sans pour autant présenter aucun effet semblable, ni même un tant soi peu approchant, à celui qu'elles ont dans le vin rouge où, associées à d'autres substances comme les tannins et l'alcool, elles préservent de l'athérosclérose.

Le plus important pour manger sainement est de parvenir à une bonne association d'aliments

Un effet optimal

Cela vaut également pour toutes les substances végétales secondaires contenues dans les aliments. Mais cela ne signifie pas que l'on puisse parvenir à un effet positif en augmentant simplement l'apport d'un aliment connu pour ses nutriments spécifiques. Ce n'est que leur mélange, le plus riche possible, qui peut conduire, tant pour la prévention des facteurs de risques énumérés plus loin que pour leur traitement, aux effets positifs recherchés.

Or, le régime alimentaire méditerranéen réunit, grâce à sa composition, les conditions importantes qui président aujourd'hui à une alimentation pouvant avoir des effets préventifs. C'est aussi vrai pour la prévention des facteurs de risques des maladies cardio-vasculaires comme l'excès pondéral, l'hypertension artérielle, les troubles du métabolisme des lipides et le diabète, que pour la prévention des cancers, notamment du cancer du côlon, du sein et de la prostate.

La prévention des facteurs de risque

Les bienfaits du régime méditerranéen

La diète méditerranéenne est idéale pour se régaler tout en évitant les excès de calories. Grâce à sa composition, elle protège l'organisme humain de nombreux facteurs de risque responsables de maladies cardio-vasculaires et de cancers, comme nous allons le voir plus en détail dans ce qui suit. Mais même quand la maladie est déclarée, le régime méditerranéen reste un excellent moyen d'accompagner le traitement.

Manger et savourer, mais en surveillant le nombre de calories

Les dangers d'une mauvaise alimentation

Maladies de civilisation et espérance de vie

Les maladies cardio-vasculaires et le cancer sont des maladies de la civilisation, puisqu'elles représentent les trois quarts des décès sous nos latitudes. Les maladies cardio-vasculaires sont à elles seules la première cause (près de la moitié) de décès en France. Or, elles sont largement dues à un mode de vie et à une alimentation inadéquats et même les risques de développer un cancer peuvent être diminués par une alimentation équilibrée et adaptée à nos besoins. Mieux vaudrait donc accorder davantage d'attention à notre pitance quotidienne !
Pour comprendre la véritable importance d'une alimentation saine, il nous faut d'abord montrer comment une mauvaise alimentation permanente peut conduire à la dégradation de notre santé.

Athérosclérose et maladies cardio-vasculaires

L'homme jeune et en bonne santé possède des artères élastiques que tapisse une tunique intérieure lisse et intacte, l'endothélium. Diverses causes peuvent conduire au fil des ans à une altération de cette membrane. Les dépôts graisseux et cellulaires qui s'accumulent dans les

Détérioration des vaisseaux

zones lésées conduisent progressivement à un rétrécissement et à un épaississement des artères. On parle alors d'athérosclérose ou, quand il s'agit des vaisseaux coronaires, de sclérose coronarienne. Les conséquences de l'athérosclérose sont l'infarctus, l'accident vasculaire cérébral ou nombre d'autres maladies cardio-vasculaires comme l'angine de poitrine (ischémie du muscle cardiaque), les troubles du rythme cardiaque (arythmie), la gangrène (orteils noirs). Mais les yeux (cécité), l'intestin ou les reins peuvent aussi être touchés. L'athérosclérose peut atteindre tous les tissus de l'organisme.

Facteurs de risque de l'athérosclérose

L'athérosclérose est principalement due aux facteurs de risque habituels : excès pondéral, augmentation des graisses sanguines, hypertension et diabète. Tous conduisent, quoique par des voies diverses, à une altération des vaisseaux et peuvent être responsables, seuls ou à plus forte raison ensemble, d'une athérosclérose précoce. On parle donc parfois du « quatuor fatal » ou du syndrome X. Le point commun spécifique à tous ces facteurs de risque est que le diagnostic de l'hyperlipidémie, de l'hyperglycémie ou de l'hypertension arrive souvent trop tard, c'est-à-dire alors que les artères sont déjà lésées. On a fait la preuve aujourd'hui que les enfants obèses sont très tôt touchés par des modifications vasculaires dues aux dépôts graisseux. Toutefois, les facteurs de risque apparaissent généralement chez les adultes jeunes ou mûrs et de manière insidieuse, car la personne se sent d'abord en forme et en parfaite santé. C'est précisément pour cette raison qu'il est important de faire pratiquer des examens de dépistage dès la trente-cinquième année. Car ce n'est que lorsque les facteurs de risque sont identifiés à temps que l'on peut commencer à bloquer, ou au moins à ralentir dès son apparition le processus d'athérosclérose. Évidemment, il est également nécessaire de veiller à ses habitudes de vie, car les facteurs de risque d'ordre comportemental comme le fait de fumer, la consommation excessive d'alcool ou le manque de mouvement conduisent eux aussi à l'athérosclérose et aux maladies cardio-vasculaires.

Facteurs de protection contre l'athérosclérose

Connaître avec précision les facteurs de risque de l'athérosclérose nous permet aujourd'hui d'énumérer les différents facteurs de protec-

Pour vous protéger de l'athérosclérose, mangez beaucoup de fruits et légumes, de préférence achetés frais sur le marché

tion qui peuvent réduire un développement précoce de la maladie et de ses conséquences. À cet égard, l'antithèse même des facteurs de risque, à savoir un poids normal, des taux de cholestérol et de triglycérides normaux, une tension artérielle et une glycémie normales sont des facteurs de protection essentiels. Ne pas fumer, pratiquer un sport et savoir gérer son stress en font également partie.

Pour ce qui est de l'alimentation, il faut manger beaucoup de fruits et de légumes. Mais les produits céréaliers, les légumes à gousse, les huiles (surtout l'huile d'olive de première pression à froid) et même le verre de vin rouge au repas jouent aussi un rôle important. Car la consommation réduite d'alcool, de préférence sous la forme de vin rouge, constitue également un facteur de protection comparé à une abstinence totale (voir page 33).

Un verre de vin en accompagnement

Régime méditerranéen et excès de poids

À quelques rares exceptions près, un apport calorique trop élevé se traduit par une surcharge pondérale. Là encore, le régime méditerranéen permet de prévenir et même de guérir, puisqu'il peut aider à rétablir un poids normal. La raison en est que la cuisine méditerranéenne privilégie les aliments d'origine végétale. Ils sont moins caloriques à poids égal que les aliments d'origine animale, ce qui se répercute favorablement sur la masse corporelle. Les méridionaux sont en moyenne plus minces que leurs congénères d'Europe centrale ou d'Amérique du Nord. C'est bien la preuve que, contrairement à une opinion largement répandue, les produits céréaliers comme le pain et les pâtes, les pommes de terre, le riz et les légumes à gousses ne font pas grossir. La diète méditerranéenne est de plus riche en fibres et celles-ci procurent une sensation durable de satiété. Elle n'implique donc aucun renoncement et n'est pas fondée sur l'interdit.

Se sentir rassasié grâce à une alimentation riche en fibres

Au premier plan : la joie de vivre

Il est important, quand on doit perdre du poids (voir en détail à partir de la page 62), de ne pas perdre en même temps sa joie de vivre. Or, celle-ci passe évidemment aussi par une alimentation savoureuse. Les interdits et les privations sont à cet égard plus nocifs que bénéfiques. Le premier aspect du plaisir est celui de l'achat et de la préparation d'aliments frais. Rappelez-vous l'exemple de la « salade de tomates et mozzarella » de la page 10. Composez vos plats en jouant avec les couleurs et votre rapport aux aliments s'établira d'emblée et très simplement dans le plaisir.

Une jolie table, un bon petit plat et un verre de vin rouge : savourez, c'est sain !

Facteur de risque : surcharge pondérale

L'excès de poids est le facteur de risque numéro un dans le domaine des maladies cardio-vasculaires, car il entraîne et/ou renforce les autres facteurs. Il représente une surcharge de travail excessive pour le cœur et le système circulatoire, ce qui entraîne à son tour une hausse de la tension. Le risque d'hypertension artérielle est multiplié par six chez les personnes obèses.

Le taux de graisses dans le sang augmente aussi, notamment celui du mauvais cholestérol (LDL), tandis que celui du bon cholestérol (HDL), qui protège de l'athérosclérose, reste très faible. Le taux de triglycérides augmente aussi chez les personnes souffrant d'excès pondéral. Ils influent négativement sur la fluidité du sang et augmentent le fibrinogène responsable de la coagulation et avec lui, les risques de thrombose. C'est pourquoi le risque de mourir d'un accident vasculaire cérébral ou d'un infarctus est multiplié par quatre chez les personnes en surpoids. L'excès pondéral multiplie en outre par trois le risque d'apparition de diabète, en abaissant l'efficacité de l'insuline. Chez les diabétiques de type 2 (diabète dû à l'âge) dont 90 % présentent une surcharge pondérale, cet excès de poids est le plus souvent dû à leur maladie.

Favorise le diabète

Régime méditerranéen et hypercholestérolémie

Bien que la consommation totale de matières grasses soit relativement élevée dans les pays méditerranéens, on a constaté que les risques d'athérosclérose des populations locales restaient inférieurs à ceux des autres pays. Les études en nutrition les plus récentes se sont largement penchées sur la question de savoir pourquoi et sont arrivées à la conclusion que plusieurs facteurs entraient en ligne de compte. Ainsi l'association des différentes matières grasses utilisées réduit-elle le mauvais cholestérol, tout en accroissant le bon. De plus, la cuisine méditerranéenne est pauvre en cholestérol alimentaire, car elle ne comporte que peu de viande, ce qui se répercute aussi positivement sur le taux de mauvais cholestérol. Comme on l'a également constaté, c'est surtout la version oxydée du cholestérol LDL qui en-

Matières grasses alimentaires et taux de cholestérol

dommage les vaisseaux. Or, la cuisine méditerranéenne est capable de le neutraliser, puisqu'elle est très riche en antioxydants, principalement présents dans les fruits et légumes, dans l'huile d'olive pressée à froid, mais aussi dans les noix, les graines de sésame, de tournesol ou les pignons de pin. Le poisson et les fruits de mer figurent assez souvent au menu et contribuent aussi à cette association bénéfique de graisses alimentaires. Les huiles de poisson améliorent la fluidité du sang en réduisant le taux de triglycérides et en empêchant la formation d'amas de plaquettes responsables des thromboses. Quant au vin rouge, outre ses effets antioxydants, il a une influence non négligeable sur la cholestérolémie, puisqu'une consommation modérée d'alcool augmente le taux de bon cholestérol (HDL).

Huiles de poisson et vin rouge

Facteur de risque : hypercholestérolémie

L'augmentation de la cholestérolémie, et plus particulièrement du taux de mauvais cholestérol (LDL), est un important facteur de risque de l'athérosclérose. Le cholestérol est une substance lipidique vitale qui est en grande partie fabriquée par l'organisme (principalement le foie) et dans une moindre mesure absorbée avec les aliments. Il entre dans la construction des membranes cellulaires et sert de couche isolante à nos cellules nerveuses ; il est indispensable à la formation des acides biliaires, de la vitamine D et des hormones sexuelles. Le cholestérol est transporté dans le sang par de petites particules de lipoprotéines. Les lipoprotéines de faible densité (LDL) emmènent le cholestérol dans tous les organes qui en ont besoin. Si le cholestérol est produit en trop grande quantité, ou que les cellules n'en absorbent pas suffisamment, il reste dans le sang où il est capté par les cellules macrophages. Celles-ci phagocytent surtout le cholestérol LDL « oxydé » et s'entassent sur la paroi des artères où elles forment une plaque spumeuse qui l'endommage. Avec le temps, les artères se rigidifient et se rétrécissent, jusqu'au jour où elles sont complètement bouchées. Les lipoprotéines de haute densité (HDL) captent le cholestérol déposé et le transportent jusqu'au foie où il est décomposé par les acides biliaires. C'est pourquoi l'un des objectifs déclarés d'une alimentation saine est de maintenir un faible taux de cholestérol LDL et un taux élevé de cholestérol HDL. Comme nous l'avons vu pour la surcharge pondérale (voir page 53), une hypercholestérolémie s'accompagne souvent d'une augmentation des triglycérides. Le sang

Mécanisme de dégradation des vaisseaux

s'épaissit alors et les risques de formation de caillots, souvent responsables de l'obstruction subite d'une artère et de ses conséquences directes comme l'infarctus et l'accident vasculaire cérébral, apparaissent plus vite. Pour se préserver de l'athérosclérose, il convient donc aussi de maintenir le taux de triglycérides à un faible niveau.

Valeurs indicatives de cholestérolémie et de tension artérielle

Faites contrôler régulièrement votre cholestérolémie et votre tension artérielle. Vous pourrez ainsi redresser la barre à temps.

Intervenir à temps

Valeurs indicatives de cholestérolémie en mg/dl

	Cholestérol total	Mauvais cholestérol (LDL)	Bon cholestérol (HDL)
Normal	< 200	< 135	> 45
Limite	200-250	135-175	35-45
Néfaste	> 250	> 175	< 35

Valeurs indicatives de tension en mmHG systolique/diastolique

Normal	< 140/90
Limite	140/90-160/95
Néfaste	> 160/95

Régime méditerranéen et hypertension artérielle

Riche en aliments d'origine végétale, le mode d'alimentation méditerranéen peut contribuer à une baisse très nette de la tension. Il est peu calorique et permet donc de perdre les kilos nécessaires, puisque l'excès de poids est bien souvent la cause de l'hypertension artérielle (voir page 53). Il favorise en outre l'absorption de potassium, connu pour faire baisser la tension et particulièrement abondant dans les fruits, les légumes, les légumes à gousse, les pommes de terre, le riz et les céréales. Vous pouvez même vous autoriser un petit verre de vin, car l'alcool en quantité modérée n'influe pas sur la tension artérielle, alors qu'une consommation régulière et élevée d'alcool est en revanche cause d'hypertension. Cet exemple montre à l'évidence que pour tirer

Le potassium fait baisser la tension

La quantité est déterminante

le meilleur profit du régime méditerranéen, il convient de veiller tout autant à la quantité des divers aliments ingérés qu'à leur association. Mais la pyramide de la page 18 vous permettra de mémoriser facilement les bonnes associations qualitative et quantitative des aliments de la diète méditerranéenne.

Facteur de risque : hypertension artérielle

Principale cause : l'excès de poids

L'hypertension artérielle est le facteur de risque classique des accidents vasculaires cérébraux. Mais elle accroît également le risque d'infarctus, de lésions rénales et conduit à des ischémies dans les membres inférieurs. Une hypertension permanente provoque des lésions mécaniques de la paroi interne des artères. Le cholestérol s'y accumule facilement et conduit à une athérosclérose. L'excès de poids joue probablement le rôle principal dans l'apparition de l'hypertension ; 60 % des hypertendus sont en surcharge pondérale. Associée au manque de mouvement, elle est la voie toute tracée à l'hypertension. Citons encore l'apport simultané excessif de sodium (sel) et insuffisant de potassium.

Régime méditerranéen et diabète

Riche en glucides et en fibres

La diète méditerranéenne est riche en glucides complexes et en fibres (mélange de glucides). Par glucides complexes, on entend l'amidon végétal, composé de nombreuses molécules de sucre, et qui ne doit être décomposé que dans le système digestif pour être exploitable par l'organisme. C'est pour cela qu'il passe lentement dans le sang.
Les glucides simples comme le sucre sont en revanche rapidement assimilés. L'absorption des glucides complexes et des fibres présents dans les végétaux n'accroissent donc que lentement le taux de sucre dans le sang (glycémie). C'est particulièrement important pour les diabétiques, car ils peuvent ainsi se prémunir contre les conséquences néfastes d'une glycémie en permanence élevée.
Le mode d'alimentation méditerranéen a le grand avantage de n'apporter que peu d'acides gras saturés et, au contraire, beaucoup d'acides gras mono- et poly-insaturés. L'insuline joue donc mieux son rôle et la glycémie diminue. La perte de poids permet aussi de dimi-

nuer la quantité d'insuline nécessaire et de soulager ainsi le pan-
créas qui la fabrique.

Facteur de risque : diabète

L'hyperglycémie entraîne à la
longue de graves lésions vasculaires qui menacent plus particu-
Lésions lièrement les coronaires. Chez
vasculaires les diabétiques, l'athérosclérose
graves apparaît plus souvent, plus tôt et
de manière plus grave que chez
les personnes n'ayant pas de pro-
blèmes de métabolisme.
On a également montré que les
causes du diabète le plus cou-
rant, celui de type 2, sont l'excès
de poids dû à une mauvaise alimentation et à un manque de
mouvement. 90 % de ces diabétiques souffrent de surcharge

pondérale. La perte de poids, le changement des habitudes alimentaires et l'augmentation de l'activité corporelle sont donc prioritaires
dans le cadre du traitement.

La pratique régulière d'un sport et une alimentation adaptée permettent d'éviter l'excès de poids et ses conséquences

Les complices des facteurs de risque

Radicaux libres

Les radicaux libres dont nous avons déjà parlé à la page 42 à propos des
vitamines antioxydantes, sont des sous-produits du métabolisme normal. Ils se forment d'abord en petites quantités dans l'organisme, mais
Influences des influences extérieures peuvent déclencher une fabrication de quan-
extérieures tités bien supérieures. La pollution, les gaz d'échappements contenant
des métaux lourds et des oxydes d'azote, les rayonnements UV, l'ozone,

la fumée de cigarette, mais aussi certains médicaments accroissent, dans certaines conditions, la formation ou l'absorption de radicaux libres au-delà de la limite d'efficacité des mécanismes naturels de défense du corps. Il a été démontré que les radicaux libres, en étroite liaison avec le facteur de risque « cholestérol », étaient des catalyseurs puissants de l'athérosclérose. Ils sont capables d'attaquer et de détruire les cellules saines de l'organisme et sont responsables de réactions d'oxydation comparables à celles du rancissement du beurre (réaction à l'oxygène), mais à l'intérieur du corps (stress oxydatif). Il est désormais prouvé qu'ils favorisent la formation dans les artères du mauvais cholestérol et par suite des plaques d'athérome responsables de l'athérosclérose. On les soupçonne en outre de jouer un rôle important dans bon nombre d'autres maladies comme le cancer, les rhumatismes, la cataracte, l'arthrite et les maladies d'Alzheimer et de Parkinson.

Oxydations catalysées par les radicaux libres

Fibrinogène

Le fibrinogène joue un rôle important dans la coagulation en tant que précurseur de la fibrine. Celle-ci est en effet nécessaire tant pour la fabrication que pour la destruction des caillots de sang. Dans un organisme en bonne santé, le processus de coagulation est en équilibre. Quand le taux de fibrinogène augmente, les plaquettes sanguines (thrombocytes) ont tendance à s'agglutiner et la fluidité du sang diminue. Quand la paroi des artères est atteinte d'athérosclérose, les amas de plaquettes risquent de s'y accrocher et si le caillot ainsi formé est arraché et transporté par le sang, il peut se produire une obstruction soudaine des artères. Les conséquences sont l'infarctus, l'accident vasculaire cérébral ou la nécrose des tissus des jambes (gangrène). On observe des taux de fibrinogène particulièrement élevés chez les personnes en excès pondéral et chez les fumeurs. La perte de poids et l'arrêt de la nicotine normalisent le taux de fibrinogène et sont de ce fait d'importants facteurs de protection.

Important pour la fluidité du sang

Homocystéine

Il a été démontré qu'un taux élevé d'homocystéine est un facteur de risque indépendant des facteurs de risque classiques de l'athérosclérose. Le rôle exact qu'il joue dans cette maladie n'est pas encore totalement élucidé, mais on pense qu'il crée directement des lésions sur la

Lésions
éventuelles
des parois
internes
des artères

paroi interne des artères. L'homocystéine est fabriquée par l'organisme à partir d'un acide aminé, la méthionine, avant d'être décomposée en un autre acide aminé, la cystéine. En cas de décomposition insuffisante, la concentration en homocystéine devient trop forte et elle endommage les artères. La décomposition de l'homocystéine fait intervenir trois vitamines du groupe B (l'acide folique, mais aussi la vitamine B6 et la vitamine B12). Or, la diète méditerranéenne assure un apport suffisant en vitamines et permet de rétablir le taux d'homocystéine à un niveau inoffensif.

La cuisine méditerranéenne
et la prévention du cancer

Les fruits
et légumes
sont bons
pour la santé !
Leur teneur
élevée en
fibres et
en substances
végétales
secondaires
prévient
les maladies
cancéreuses

Effet prouvé
par de nombreuses
études

Les nombreuses substances végétales secondaires dont nous avons déjà parlé, alliées à une proportion élevée de fibres, expliquent que le régime méditerranéen puisse également prévenir un certain nombre de maladies cancéreuses. C'est plus particulièrement vrai des cancers du système digestif, mais aussi, comme en témoignent de nombreuses études, du cancer du sein, de l'utérus et de la prostate. Les phyto-œstrogènes sont particulièrement efficaces contre ces derniers, car ils possèdent des propriétés chimiques qui régulent le taux d'œstrogènes. Or ce taux, associé à d'autres facteurs, passe pour être le détonateur de ces maladies. On sait qu'un apport suffisant en fibres peut prévenir le cancer de l'intestin. Quant aux antioxydants comme le bêta-carotène et la provitamine A, ou le lycopène, qui piège les radicaux libres, ils sont tous présents dans le régime méditerranéen et jouent également un rôle important dans la prévention contre le cancer.

Savourer méditer- ranéen

Quelle autre région possède
une cuisine aussi riche et colorée
que le Bassin méditerranéen ?
Préparée à base de produits frais,
elle est variée, légère et facile
à digérer. Le plaisir de manger
et de savourer passe au tout premier
plan. La recette en est simple :
du temps, de la détente,
de la compagnie, des conversations
animées et, bien sûr, un petit verre
de vin rouge.
Vous découvrirez dans ce chapitre
tout ce qu'il est utile de savoir
pour perdre du poids sainement,
tous nos conseils pour acheter,
conserver et préparer vos aliments
et enfin des recettes de délicieux
petits plats qui n'attendent que
vous pour être essayés et dégustés.

Perdre du poids avec le régime méditerranéen

Excès de poids, non merci !

Comme nous l'avons vu au chapitre précédent, l'excès de poids est à l'origine de tous les facteurs de risque de l'athérosclérose et de toutes les maladies cardiovasculaires qui en découlent. Or, une mauvaise alimentation peut jouer un rôle de déclencheur. La plupart des gens en sont conscients. Témoins les efforts divers et variés entrepris pour éliminer les kilos superflus, voire tout simplement pour ne pas en prendre.

Pilules anti-graisse et autres produits amaigrissants miracle

Nous faisons référence ici à l'infinie variété de pilules, de poudres et de régimes, mais aussi aux pilules anti-graisse comme le « Xénical » qui pénètrent depuis peu le marché. Tous ces attrape-nigauds chimiques ont ceci en commun qu'ils s'attaquent aux symptômes, mais pas aux causes et qu'ils ne peuvent donc avoir d'effet positif qu'en association avec un changement simultané des habitudes alimentaires.

Quand parle-t-on de surcharge pondérale ?

Avant de parler de la cuisine méditerranéenne comme d'une savoureuse solution de remplacement, demandons-nous à partir de quand une personne est considérée comme souffrant d'excès de poids. Ces dernières années, les critères d'évaluation des nutritionnistes ont évolué par rapport à l'objectif de poids théorique idéal qui faisait autorité auparavant.

On évalue aujourd'hui le poids idéal souhaité d'après le « Body mass index » (BMI), qui permet une évaluation plus précise en fonction de la taille. Le graphique suivant vous aidera à calculer votre propre Body mass index.

Important : avoir une règle !

Mode d'emploi

▶ Prenez une règle et reliez le trait correspondant à votre taille dans l'échelle de gauche et à votre poids dans l'échelle de droite.

▶ Le point d'intersection de cette droite avec l'échelle BMI vous donne la valeur de votre BMI personnel. Pour interpréter ces résultats, reportez-vous au tableau de la page suivante.

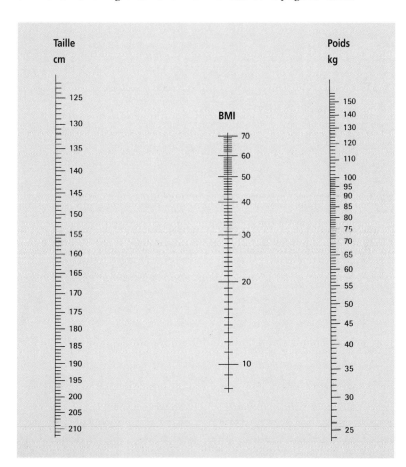

Une règle relie la taille (à gauche) et le poids actuel (à droite). La valeur de BMI se lit sur l'échelle centrale

		Évaluation de la valeur BMI		
Âge	Valeur BMI	Inférieure à	Comprise entre	Supérieure à
19 à 24 ans	Pour une valeur	19	19-24	24
25 à 34 ans	supérieure à 30,	20	20-25	25
35 à 44 ans	il est conseillé	21	21-26	26
45 à 54 ans	de perdre	22	22-27	27
55 à 64 ans	rapidement	23	23-28	28
Plus de 65 ans	du poids	24	24-29	29
		Poids insuffisant	*Poids normal*	*Poids excessif*

Mode d'évaluation

Une fois votre BMI calculé, il vous reste à l'évaluer, c'est-à-dire à vérifier dans le tableau ci-dessus si vous souffrez d'un excès pondéral.

▶ Si votre BMI n'entre pas dans la fourchette correspondant à votre âge, vous avez un excès de poids.

▶ Quand le BMI dépasse 30, on parle d'adipose. L'adipose constitue un facteur de risque permanent et favorise en outre l'apparition d'autres facteurs de risque. Seule solution : perdre du poids.

Facteur de risque : adipose

Les moyens d'action

On le sait, aucun des innombrables régimes ne conduit au poids idéal de façon durable. Après une brève période d'amaigrissement, les kilos reviennent au galop et souvent même en plus grand nombre encore. On tente alors un autre régime, et c'est parti pour l'effet yo-yo : après chaque perte de poids, les kilos reviennent en force. La seule solution valable à long terme est un changement fondamental du mode d'alimentation. Mais beaucoup craignent de s'engager sur cette voie, car elle est étroitement liée avec l'idée de « renoncement » et donc très peu suivie. Le régime méditerranéen offre une solution de remplacement savoureuse, mais qui ne peut pas non plus faire de miracles.

L'effet yo-yo

Lentement, mais sûrement

Les pertes de poids trop rapides, comme celles que préconisent les « régimes d'une semaine » (« Perdez trois kilos en une semaine ») ne sont généralement que le résultat d'une perte d'eau. L'élimination déterminante des réserves de graisse est en effet impossible en aussi peu de temps. Une perte de poids lente, mais constante, d'environ un demi kilo par semaine est bien préférable.

En perdant seulement deux ou trois kilos, vous diminuez déjà nettement les facteurs de risque liés à l'excès de poids.

1/2 kilo par semaine suffit

Calculez vous-même vos besoins énergétiques

Le poids et les activités corporelles jouent un rôle important dans le calcul du besoin quotidien en calories.

N'apportez à votre organisme que les calories qui correspondent à ses besoins immédiats et vous garderez un poids constant.

Le mouvement, c'est bon pour la ligne, la forme et la santé

Si vous voulez perdre du poids, il

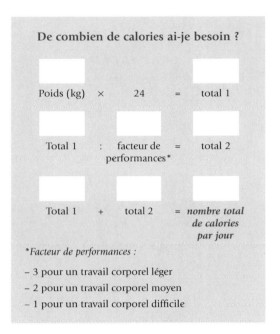

De combien de calories ai-je besoin ?

Poids (kg) × 24 = total 1

Total 1 : facteur de performances* = total 2

Total 1 + total 2 = *nombre total de calories par jour*

Facteur de performances :

– 3 pour un travail corporel léger
– 2 pour un travail corporel moyen
– 1 pour un travail corporel difficile

existe deux façons lentes, mais constantes de procéder : fixez votre apport calorique quotidien 200 ou 300 calories en dessous du besoin que vous aurez calculé ou bien augmentez d'autant votre dépense énergétique par une activité corporelle. À vous de choisir… Nous vous conseillons néanmoins de combiner les deux, car vous prendrez davantage de plaisir à réduire légèrement votre nombre de calories qu'à vous imposer un régime sévère. Et une activité corporelle régulière vous apportera d'autres bienfaits qu'une simple dépense énergétique : elle améliore la condition physique, régule la

Moins de calories, plus de sport

Amélioration de la condition physique et de la santé

tension, augmente le taux de bon cholestérol dans le sang et renforce le métabolisme de l'insuline et du sucre.

Pas de sport à outrance

Inutile de vous user les pieds à faire un jogging tous les matins, de vous ruiner pour pouvoir vous précipiter dans une salle de sport après le travail ou de vous torturer avec de lourds haltères. Il suffit de marcher régulièrement, pas trop lentement, de faire du vélo, de danser, de nager ou de partir en randonnée.

Quel que soit le sport choisi, il est important de le pratiquer au moins 30 minutes d'affilée pour que votre cœur parvienne à un rythme « suffisamment élevé ». À cet égard, la règle d'or est : « pouls à 180 moins votre âge ».

Important : 30 minutes de mouvement minimum

Énergie dépensée en 30 minutes d'activité

Activité	Dépense d'énergie en kcal
Marche (1,5-2 km)	40-80
Vélo (5-7 km)	60-200
Gymnastique	115-200
Volley-ball, handball, basket-ball	125-275
Natation (1 000 m)	140-250
Danse	160-215
Ski de fond (4,5 km)	250-270
Jogging (3-4 km)	200-300

Quelques conseils culinaires importants

Pour des repas véritablement sains, il faut commencer par choisir les bons aliments. La pyramide de la page 18 indique quels sont les aliments qui doivent entrer dans votre alimentation. Mais d'autres facteurs importants interviennent aussi : ce sont l'achat, la conservation et la préparation des ingrédients.

Bien acheter

Ne choisissez que des aliments frais et le moins transformés possible. Les fruits et les légumes frais se reconnaissent à leur enveloppe croquante, leur section fraîche et leurs couleurs vives. Achetez de préférence des produits de saison, plus riches en nutriments. Chacun d'eux possède une saison de récolte spécifique, c'est à ce moment qu'il est le plus abondant et le moins cher sur le marché. Les produits achetés en direct auprès des producteurs sur le marché sont particulièrement intéressants. Pour qu'ils soient le plus frais possible dans votre assiette, l'idéal est d'acheter au jour le jour.

Produits frais de saison

Tomates et produits dérivés

La tomate est un ingrédient obligé de la cuisine méditerranéenne. Il en existe de nombreuses variétés, depuis la tomate cerise jusqu'à la grosse Marmande en passant par la tomate en branche et l'olivette. Elle s'utilise de préférence fraîche, mais si vous voulez vous éviter une préparation un peu longue, vous pouvez la remplacer par du concentré de tomate et des conserves de tomates pelées entières ou de pulpe en dés ou en purée. Le principal nutriment de la tomate, le lycopène (voir page 45), se trouve en effet sous forme concentrée dans le concentré de tomate et il est en outre mieux assimilable par l'organisme quand il a été déjà chauffé une fois.

Différentes variétés

Surgelés

Les fruits et légumes congelés juste après la récolte contiennent davantage de vitamines que les produits entreposés trop longtemps et flétris. Mais ne les achetez pas dans les magasins mal tenus, aux congélateurs couverts de glace, et ne prenez pas ceux qui se trouvent sur le haut de la pile, car ils sont exposés à des températures trop élevées et leur qualité s'en trouve affectée. Cela vaut aussi pour le poisson, la viande rouge et la volaille.

Une question de qualité

Le poisson frais se reconnaît à sa chair ferme et à ses yeux clairs.

Poisson et viande

Le poisson frais se reconnaît à son aspect et à son odeur. Sa peau est brillante et recouverte d'une couche transparente, ses yeux clairs et « vifs ». Les ouïes sont rouge clair, la chair ferme et élastique. Pour ce qui est de la viande, faites-vous conseiller par votre boucher et renseignez-vous sur l'origine de ses produits.

Bien conserver

La quantité de précieux nutriments contenue dans vos aliments dépend aussi de leur conservation. La lumière, l'oxygène et la chaleur détruisent rapidement les vitamines. Entreposez les fruits et légumes au frais et à l'abri de la lumière, de préférence dans du film étirable ou dans des boîtes. Les légumes à feuilles comme la laitue et les épinards doivent être consommés très rapidement. Les autres légumes peuvent être conservés plusieurs jours dans le bac à légumes du réfrigérateur. Mais pour éviter les risques de pourriture ou la contamination des goûts, essayez de ranger vos fruits et vos légumes dans deux bacs séparés.

Conserver les nutriments

Bien préparer

Pour retrouver un maximum de nutriments dans vos plats préparés, ne retirez que le strict nécessaire en pelant vos fruits et lé-

Laver d'abord, couper ensuite

gumes. Lavez-les soigneusement et ne les coupez en morceaux qu'ensuite. Ne laissez pas vos fruits coupés séjourner à température ambiante ou dans l'eau, car l'oxygène de l'air détruit les vitamines et l'eau les « lessive », ainsi que les minéraux. Pour préserver au maximum vos aliments, faites-les cuire à l'étuvée. Saisissez-les d'abord sur feu vif dans un peu d'huile d'olive, puis mettez-les à mijoter lentement sur feu doux en ajoutant très peu d'eau. Les légumes doivent rester croquants pour conserver leur saveur propre.

La cuisine méditerranéenne à votre secours

Avec la sélection de recettes ci-après, vous apprendrez comment vous régaler en mangeant sainement et en perdant du poids lentement, mais durablement. Et n'ayez crainte ! Vous serez tout de même rassasié. Les composants riches en fibres de l'alimentation méditerranéenne traditionnelle y pourvoiront. L'ingrédient principal est le légume. Il est à la base de tous les repas et s'accompagne toujours

Les fibres rassasient

d'une bonne quantité de pain, qui va avec tout. Il est complété par différentes préparations à base de pâte, ainsi que des pommes de terre, du riz ou des légumes à gousses. Arrivent ensuite en bonne part le poisson et les fruits de mer, ainsi que la viande et la volaille, tous à la mode méditerranéenne. Une salade croquante et des fruits viennent habituellement compléter le repas. En dehors des pâtes, tous les plats proposés s'accompagnent du traditionnel pain blanc, idéal pour saucer. Et n'oubliez pas le verre de vin rouge obligatoire !

Toujours présents : du pain et du vin rouge

Et le petit-déjeuner ?

Une question que vous vous poserez peut-être en feuilletant les recettes. Il n'y a pas de repas pour lequel les citoyens de la CE aient des goûts aussi divergents. Les Anglais aiment le bacon frit et le porridge, les Hollandais le fromage et les saucisses, les Allemands le café au lait, le beurre et la confiture. Comme les Italiens et les Espagnols, les Français boudent le petit-déjeuner. Un café accompagné d'un croissant ou d'une tartine grillée arrosée d'un filet d'huile d'olive et garnie d'une tranche de jambon sont amplement suffisants. Et comme nous ne tenons pas forcément à

Prenez votre petit-déjeuner habituel

vous recommander ces dernières coutumes méridionales, contentez-vous d'en rester à votre petit-déjeuner habituel en veillant seulement à ce qu'il soit aussi équilibré que la cuisine méditerranéenne. Cela signifie davantage de pain, et de pain complet, mais moins de garniture et de préférence allégée en graisses. Si vous le pouvez, complétez votre petit-déjeuner par des fruits et légumes : tomate, concombre ou radis. Très bien aussi : le müesli avec des fruits frais.

La cuisine méditerranéenne laisse une large place aux fruits frais, que l'on mange aussi comme dessert avec un peu de fromage. Une habitude que nous ne pouvons qu'encourager. Selon les stratégies actuelles de prévention et de traitement de l'excès de poids, notre alimentation devrait comporter 5 unités de fruits et peu de matières grasses, c'est-à-dire au maximum 70-80 g par jour. Renoncez totalement aux petits encas entre les repas, sauf s'il s'agit de fruits, de légumes ou de jus (pressés).

Important : fruits et légumes

Indication des quantités

Toutes les quantités indiquées dans les recettes sont prévues pour 4 personnes, sauf la paella (page 81) et le lapin aux olives (page 91) qui sont pour 6. Invitez donc un ou deux amis à partager ces plats.

Plats frais pour petites faims

Tomates farcies

8 grosses tomates, sel, 150 g de thon à l'huile (poids net égoutté), 4 filets de sardines à l'huile, 8 olives vertes dénoyautées, 1 paquet (125 g) de mozzarella, 2 œufs durs, 1 bouquet de basilic, poivre noir du moulin, 2 c. à soupe d'huile d'olive

1 Lavez les tomates, coupez le chapeau et évidez-les avec précaution à l'aide d'une petite cuillère. Détaillez la pulpe en dés et salez légèrement l'intérieur des tomates.

2 Laissez égoutter le thon et les sardines, émiettez le thon et coupez les sardines en petits morceaux. Découpez les olives en rondelles fines, la mozzarella et les œufs en petits dés. Lavez et séchez le basilic, puis ciselez finement la moitié des feuilles.

3 Mélangez tous les ingrédients dans un saladier avec les dés de tomates, un peu de sel et de poivre et 2 c. à soupe d'huile d'olive. Emplissez les tomates de préparation et décorez avec le reste de basilic.

Dressez sur des assiettes ou sur un grand plat

Par personne : 320 kcal environ.

La cuisine méditerranéenne à votre secours

Les aubergines
marinées
se marient
bien avec
le poisson
et la viande

Aubergines marinées

En entrée
ou en accom-
pagnement
de poisson
ou de viande

1 kg de petites aubergines
Pour la marinade : 4 gousses d'ail,
2 ou 3 brins d'origan frais ou 1 c. à
café d'origan séché, 4 c. à soupe
d'huile d'olive, 4 c. à soupe de vi-
naigre de vin blanc, 1 piment séché,
poivre noir du moulin, sel

1 Lavez les aubergines, ôtez le
pédoncule et coupez-les en rondelles d'1 cm d'épaisseur.

2 Portez une grande quantité
d'eau salée à ébullition et faites
blanchir les aubergines pendant
5 minutes Sortez-les avec une
écumoire et laissez égoutter sur
du papier absorbant.

3 Pelez et hachez finement l'ail.

Rincez, séchez et effeuillez l'origan, puis hachez-le finement.

4 Mélangez l'huile d'olive et le
vinaigre, l'origan, l'ail, le piment
finement râpé, le sel et le poivre.

5 Superposez les rondelles d'aubergines dans une boîte hermétique et arrosez chaque couche de
vinaigrette. Laissez mariner au réfrigérateur pendant 24 heures en
retournant la boîte 2 ou 3 fois.

Important :
une boîte
hermétique

Par personne : 125 kcal environ.

Roquette aux noix

2 c. à soupe d'huile d'olive, 1 gousse
d'ail, 250 g de roquette, 16 cer-
neaux de noix coupés en deux, sel,
poivre blanc du moulin, 1 c. à soupe

de vinaigre balsamique, 2 c. à soupe de parmesan râpé

1 Versez l'huile dans un saladier. Pelez et pressez l'ail au-dessus du saladier et mélangez bien.

2 Lavez la roquette, supprimez les grosses tiges et essorez. Mettez les feuilles dans un saladier et mélangez avec l'huile.

3 Ajoutez 12 demi-cerneaux de noix grossièrement hachés. Salez, poivrez et arrosez de vinaigre balsamique. Mélangez bien.

4 Dressez sur des assiettes, parsemez de parmesan râpé et décorez d'un demi-cerneau.

Par personne : 170 kcal environ.

Bruschetta

8 tranches de gros pain ou 16 tranches de baguette, 2 gousses d'ail, sel, 4 c. à soupe d'huile d'olive

1 Faites griller les tranches de pain au grille-pain ou sous le gril.

Idéal pour l'apéritif !

2 Pelez les gousses d'ail, coupez-les en deux transversalement et frottez-en le pain grillé. Salez et arrosez d'huile d'olive.

Par personne : 170 kcal environ.

ASTUCE !

Variantes

Vous pouvez aussi garnir vos bruschetta de :

1 Tomates fraîches coupées en dés et mélangées avec de l'ail pressé, du basilic ciselé et de l'huile d'olive.

2 Filets de sardines coupés en petits morceaux et épicés d'ail pressé.

Poivrons à la piémontaise

2 poivrons rouges, 2 poivrons jaunes, 2 poivrons verts, 1 piment frais, 6 c. à soupe d'huile d'olive, 1 bouquet de persil, 2 gousses d'ail, sel

1 Préchauffez le gril ou le four sur 250 °C. Placez les poivrons sous le gril 10 à 12 minutes ou faites-les cuire au four 20 minutes, jusqu'à ce que leur peau noircisse et se boursoufle. Sortez-les et enveloppez-les dans un torchon humide.

N'abusez pas du piment !

2 Fendez le piment, ôtez les graines. Ensuite, coupez-le en fines rondelles et mélangez-le avec 2 c. à soupe d'huile d'olive (Attention : piquant ! Lavez-vous

« Poivrons
à la piémon-
taise », servis
frais avec des
champignons

soigneusement les mains et ne vous frottez pas les yeux.) Lavez le persil, séchez-le et hachez-le finement. Pelez l'ail et hachez-le finement.

3 Pelez les poivrons, ouvrez-les, ötez les graines et coupez-les en lanières régulières (de 2 cm de largeur environ). Disposez les la-nières par couleur sur un plat et salez légèrement.

4 Versez l'huile pimentée, parse-mez d'ail et de persil hachés, ar-rosez avec le reste d'huile d'olive, couvrez et laissez mariner 1 heure au réfrigérateur

Par personne : 160 kcal environ.

Légumes à la mode méditerranéenne

Gratin de légumes à la grecque

300 g d'aubergines, 300 g de to-mates, 200 g de courgettes, 200 g de pommes de terre, 200 g d'oignons, 200 g de haricots verts frais, 2 gousses d'ail, origan frais ou séché, sel, poivre noir du moulin, 4 c. à soupe d'huile d'olive, 100 g de feta, 1 bouquet de persil

1 Lavez et nettoyez les légumes, pelez les pommes de terre et les oignons et coupez le tout en ron-delles d'1/2 cm d'épaisseur. Cou-pez les haricots en tronçons. Pelez et pressez l'ail. Préchauffez le four à 180-200 °C.

2 Disposez les légumes en couches dans un plat à gratin et parsemez chaque couche d'ori-gan, de sel, de poivre et d'ail. Ter-minez par les rondelles de to-mates, arrosez-les d'huile d'olive et mouillez avec 1/8 l d'eau bouillante.

3 Couvrez de papier aluminium et enfournez 30 minutes envi-ron. Retirez l'aluminium et lais-sez encore cuire 20 minutes.

4 Parsemez le gratin de fromage et d'origan, laissez dorer 10 mi-nutes et saupoudrez de persil haché.

Par personne : 230 kcal environ.

Plateau de légumes à l'espagnole

6 c. à soupe d'huile d'olive, 500 g de pommes de terre à soupe, 200 g d'oignons, 300 g de poivrons rouges, 300 g d'aubergines, 300 g de grosses tomates, le jus d'1/2 citron, sel, poivre noir du moulin

1 Préchauffez le four sur 180 °C. Badigeonnez une pla-que de cuisson de 2 c. à soupe d'huile d'olive. Pelez les pommes de terre, coupez-les en deux dans la longueur et posez-les à plat sur la plaque. Faites cuire au four 15 minutes Pelez les oignons, coupez-les en deux transversale-ment et ajoutez-les aux pommes de terre.

2 Lavez et parez les aubergines et le poivron. Coupez le poivron en lanières épaisses, coupez les aubergines en gros dés. Enfour-nez les légumes 15 minutes après les oignons, arrosez de 2 c. à soupe d'huile d'olive et lais-sez encore cuire 15 minutes.

3 Lavez, nettoyez et coupez les tomates en deux. Posez-les à plat sur la plaque. Retournez en même temps les aubergines et le poivron. Poursuivez la cuisson 15 minutes.

4 Dressez les légumes sur un grand plat, arrosez avec les 2 c. à soupe d'huile d'olive restantes et le jus de citron, salez et poivrez. Servez en plat principal ou en accompagnement de poisson ou de viande.

Le jus de citron affine le goût

Par personne : 230 kcal environ.

Courgettes farcies

2 aubergines moyennes, 4 courgettes (300 g), sel, 50 g de crème fraîche, 2 c. à soupe d'huile d'olive, le jus d'1/2 citron, 100 g de tomates épluchées coupées en dés, 1 petite gousse d'ail, poivre noir du moulin

1 Lavez les aubergines, coupez-les en deux dans la longueur et faites-les cuire au four à 150 °C pendant 20 minutes.

2 Évidez les aubergines et détaillez la chair en dés. Coupez les courgettes en deux dans la longueur et évidez-les. Pelez l'ail et hachez-le finement. Préchauffez le four à 150 °C.

3 Plongez les moitiés de courgettes dans de l'eau bouillante salée pendant 1 ou 2 minutes, passez-les sous l'eau froide et laissez égoutter. Mélangez la chair des aubergines et des courgettes, la crème, les tomates et l'ail, salez et poivrez.

4 Versez la préparation dans les

Les courgettes farcies peuvent être préparées à l'avance

Se sert
également
en entrée
pour 8

courgettes. Posez-les sur une plaque légèrement huilée et passez 20 minutes au four.

Par personne : 250 kcal environ.

Poivrons farcis

8 poivrons verts moyens, 500 g de purée de tomates, 1 gousse d'ail, 1 c. à soupe de feuilles de thym frais ou 1 c. à café de thym séché, sel, poivre noir du moulin
Pour la farce : 100 g de riz longs grains, 100 g d'oignons, 1 c. à soupe de feuilles de thym frais ou 1 c. à café de thym séché, 300 g de viande hachée, 1 gousse d'ail, sel, poivre noir du moulin

1 Faites cuire le riz dans l'eau bouillante légèrement salée pendant 15 minutes, puis égouttez dans une passoire. Pelez les oignons et émincez-les finement.

Mélangez le riz, les oignons, le thym et la viande hachée, ajoutez une gousse d'ail pressée, salez et poivrez.

2 Préchauffez le four à 180 °C. Lavez les poivrons. Découpez un chapeau tout autour du pédoncule et éliminez les graines.
Emplissez les poivrons de farce, placez-les debout dans une casserole et couvrez avec les chapeaux.

3 Mélangez la purée de tomates avec 1/8 l d'eau bouillante, l'ail pressé, le thym, du sel et du poivre. Versez cette sauce tomate sur les poivrons, couvrez et faites cuire 30 minutes à 180-200 °C, puis encore 15 minutes à découvert.

Par personne : 330 kcal environ.

Pâtes à l'italienne

Quantités variables en fonction des besoins

Les quantités d'ingrédients indiqués sont prévues pour un plat principal. Pour une entrée, un accompagnement ou un régime strict, la moitié suffit.

Fettuccine aux câpres et aux olives noires

400 g de fettuccine (nouilles plates étroites)

Fettuchine aux câpres et aux olives noires

Pour la sauce : 1 kg de tomates mûres ou 800 g de tomates pelées en conserve, 2 c. à café de câpres, 8 olives noires, 3 gousses d'ail, 2 c. à soupe d'huile d'olive, 1 pincée de piment en poudre, 1 c. à café d'origan

frais ou 1/2 d'origan séché, poivre noir du moulin, sel, 4 c. à soupe de parmesan râpé

1 Faites blanchir les tomates quelques instants, pelez-les et concassez-les. Écrasez les tomates en conserve avec une fourchette. Hachez finement les câpres, dénoyautez les olives et coupez-les en fines lanières.

2 Pelez et hachez l'ail finement, puis versez-le dans une grande poêle et faites-le revenir rapidement dans l'huile d'olive. Incorporez les tomates, les câpres et les olives. Salez, poivrez et saupoudrez de piment et d'origan.

3 Laissez mijoter la sauce 30 minutes sur feu doux.

4 Faites cuire les pâtes *al dente* dans 4 l d'eau bouillante légèrement salée, puis versez dans une passoire et égouttez. Mélangez avec la sauce et servez sans attendre. Servez le parmesan râpé à part.

L'expression italienne *al dente* signifie tout simplement « croquant »

Par personne : 470 kcal environ.

Spaghetti sauce au thon

400 g de spaghetti
Pour la sauce : 150 g de thon à l'huile (poids net égoutté), 4 filets de sardines à l'huile, 2 gousses d'ail,

500 g de tomates mûres ou 400 g de tomates pelées en conserve, 2 c. à soupe d'huile d'olive, 1 piment séché, 2 c. à café de câpres, sel

1 Égouttez le thon, émiettez-le à la fourchette, hachez finement les sardines. Pelez et hachez l'ail finement. Faites blanchir les tomates fraîches quelques instants, pelez-les et concassez-les. Écrasez-les à la fourchette.

2 Faites chauffer l'huile d'olive, mettez l'ail et le piment à revenir rapidement. Ajoutez les sardines et laissez cuire quelques instants. Ajoutez les tomates, salez et laissez cuire à couvert 15 minutes.

3 Ajoutez le thon et les câpres et laissez encore mijoter 10 minutes.

4 Pendant ce temps, portez 4 l d'eau salée à ébullition. Faites cuire les pâtes *al dente*, égouttez et mélangez avec la sauce.

Par personne : 540 kcal environ.

Fusilli aux foies de volaille et brocoli

400 g de fusilli ou autres nouilles en forme de spirales
Pour la sauce : 3 c. à soupe d'huile d'olive, 200 g de foies de volaille, sel, 200 g d'oignons, 2 c. à soupe de vinaigre balsamique, 400 g de brocoli, poivre noir du moulin

1 Faites revenir les foies de vo-

Fusilli
aux foies
de volaille
et brocoli

laille dans l'huile d'olive pendant une minute sans cesser de remuer. Salez légèrement, puis sortez de la poêle et réservez.

2 Pelez les oignons, coupez-les en fines rondelles et mettez-les à dorer dans la poêle en remuant constamment. Mouillez avec le vinaigre, puis réservez.

3 Faites cuire les pâtes al dente dans 4 l d'eau légèrement salée. Pendant ce temps, divisez les brocolis en fleurettes et faites-les cuire 5 minutes (al dente) à l'eau bouillante légèrement salée.

4 Versez les pâtes dans une passoire, laissez bien égoutter, puis versez dans la poêle avec les oignons. Incorporez les foies de volaille et le brocoli. Mélangez bien, salez, poivrez et servez dans un saladier préchauffé.

Par personne : 530 kcal environ.

Spaghettis au pesto

400 g de spaghetti
Pour la sauce : 3 gousses d'ail, 3 bouquets de basilic, 2 c. à soupe de pignons de pin, 1/8 l d'huile d'olive, 1/2 c. à café de sel, 50 g de parmesan fraîchement râpé

1 Pelez les gousses d'ail. Pilez-les dans un mortier avec les

feuilles de basilic et les pignons de pin en versant l'huile d'olive en filet.

2 Ajoutez le sel et le fromage râpé à la main. Si le pesto est trop épais, vous pouvez l'assouplir avec 2 ou 3 c. à soupe d'eau chaude ou, comme en Italie, avec l'eau des pâtes.

3 Faites cuire les pâtes al dente dans 4 l d'eau bouillante légèrement salée, égouttez-les bien, puis mélangez-les avec la sauce au pesto dans un saladier préchauffé et servez sans attendre.

Par personne : 590 kcal environ.

On trouve du *pesto* tout prêt dans le commerce, mais fait maison, c'est un vrai poème !

Tagliatelles au jambon et aux herbes

400 g de tagliatelles
Pour la sauce : 8 feuilles de sauge fraîche, 1 bouquet de persil, 30 cl de crème fleurette, 250 ml de vin blanc sec, 150 g de jambon de Parme ou

Le jambon de Parme a un goût très délicat

de jambon sec, sel, poivre blanc du moulin

1 Lavez, séchez et hachez finement la sauge et le persil. Faites chauffer la crème dans une casserole, incorporez les herbes et le vin blanc et laissez réduire le liquide au tiers.

2 Coupez le jambon en petits morceaux, ajoutez-le et assaisonnez.

3 Pendant ce temps, faites cuire les pâtes al dente dans 4 l d'eau bouillante salée, versez-les dans une passoire et laissez-les égoutter. Mélangez sans attendre dans un saladier avec la sauce.

Par personne : 560 kcal environ.

**Penne al arrabiata
(sauce au piment)**

*400 g de penne (pâtes cylindriques courtes et coupées en biais)
Pour la sauce : 100 g de jambon cru* fumé, *200 g de champignons de Paris frais (ou autres), 500 g de tomates mûres ou 400 g de tomates pelées en conserve, 2 gousses d'ail, 2 c. à soupe d'huile d'olive, 2 petits piments séchés, sel, 10 à 12 feuilles de basilic, 40 g de parmesan râpé*

1 Coupez le jambon en lanières fines. Parez les champignons et coupez-les en tranches. Blanchissez rapidement les tomates, pelez-les et concassez-les. Écrasez les tomates en boîte à la fourchette. Pelez et coupez l'ail en tranches fines.

2 Faites chauffer l'huile d'olive. Mettez le jambon et l'ail à revenir quelques instants, ajoutez les champignons et laissez cuire 5 minutes en remuant. Incorporez les tomates et les piments entiers, salez et laissez mijoter 15 minutes à couvert. Ajoutez le basilic finement ciselé en fin de cuisson.

Le piment non émincé donne un piquant agréable

3 Pendant ce temps, faites cuire les pâtes al dente dans 4 l d'eau bouillante légèrement salée, laissez égoutter et mélanger avec la sauce. Servez le parmesan à part.

Par personne : 570 kcal environ.

Riz et légumineuses

Paella valenciana

La paella se savoure entre amis, car plus les proportions en sont importantes, meilleure elle est. Voici la recette pour 6 personnes.

300 g de poivrons rouges, 600 g de grosses tomates, 1 gros oignon, 5 gousses d'ail, 300 g de petits pois frais ou surgelés, 1 poulet prêt à cuire (900 g), 250 g de rognons de porc, 400 g de praires, 6 gambas crues, 1/8 l d'huile d'olive, sel, poivre noir du moulin, 1 dose de safran (0,2 g), 1 c. à café de paprika doux en poudre, 1 feuille de laurier, 1 l de bouillon de viande, 500 g de riz à grains ronds (riz vialone ou arborio italien, par exemple), 1 citron

1 Préchauffez le four à 250 °C, mettez les poivrons sous le gril 10 à 12 minutes jusqu'à ce que leur peau noircisse et se boursoufle.

2 Sortez les poivrons du four, enveloppez-les dans un torchon humide et laissez-les refroidir. Pelez-les, coupez-les dans la longueur, ôtez les graines et les peaux blanches et détaillez-les en lanières d'1/2 cm d'épaisseur.

3 Plongez les tomates quelques instants dans l'eau bouillante, pelez les, coupez les en deux, supprimez le pédoncule et hachez-les grossièrement. Pelez et hachez finement l'ail et l'oignon.

4 Découpez le poulet en 12 morceaux. Coupez les rognons de porc en dés, brossez soigneusement les coquillages sous l'eau courante et rincez les gambas.

5 Faites chauffer l'huile dans une sauteuse et mettez les morceaux de poulet à dorer de toutes parts. Salez et poivrez, puis sor-

La paella se caractérise par ses nombreux ingrédients

tez de la poêle. Procédez de la même manière avec les dés de rognons.

6 Faites revenir les praires dans le reste d'huile d'olive, jusqu'à ce qu'elles s'ouvrent. Jetez tous les coquillages qui ne se sont pas ouverts, ils ne sont pas comestibles !

7 Faites revenir les gambas jusqu'à ce qu'elles prennent une couleur rouge. Gardez le poulet, les rognons et les fruits de mer au chaud.

8 Faites revenir doucement les oignons et l'ail dans le jus de viande jusqu'à ce qu'ils soient translucides. Incorporez les tomates et les petits pois et laissez mijoter ensemble 5 minutes Parsemez de safran et de paprika, salez et poivrez.

9 Ajoutez la feuille de laurier. Pendant ce temps, portez le bouillon de viande à ébullition. Ajoutez le riz aux autres ingrédients dans la poêle, mouillez avec le bouillon et laissez mijoter 25 minutes Le riz doit absorber presque tout le liquide.

10 Incorporez les lanières de poivron, goûtez et rectifiez l'assaisonnement. Mélangez les morceaux de poulet, les dés de

rognons et les fruits de mer avec le riz. Glissez la sauteuse dans le four à 180 °C et laissez cuire 15 minutes Servez sans attendre.

Par personne : 775 kcal environ.

ASTUCE !

Variantes

Vous pouvez remplacer le poulet et les rognons par du lapin. Pour la *paella del mar*, laissez la viande et n'utilisez que du poisson et des fruits de mer.

Risotto au veau
et aux petits pois

1 oignon moyen, 2 branches de céleri, 150 g de veau, 100 g de foies de volailles, 3/4 l de bouillon de volaille (en cubes, par exemple), 4 c. à soupe d'huile d'olive, 200 g de petits pois frais ou surgelés, sel, 250 g de riz rond italien (vialone ou arborio), 3 c. à soupe de parmesan râpé

1 Nettoyez et lavez le céleri, pelez l'oignon et hachez finement le tout. Détaillez le veau en cubes, les foies de volailles en fines lanières.

2 Portez le bouillon à ébulli-

tion. Pendant ce temps, faites chauffer l'huile d'olive dans une casserole et mettez l'oignon et le céleri à revenir sur feu doux. Ajoutez la viande, les foies et les petits pois, salez légèrement et laissez cuire 5 minutes en remuant.

3 Ajoutez le riz, laissez gonfler quelques instants, versez 1/2 l de bouillon bouillant et laissez mijoter sur feu moyen. Mélangez au bout de 15 minutes, ajoutez un peu de bouillon si nécessaire et poursuivez la cuisson jusqu'à ce que le risotto soit tendre. Incorporez délicatement le parmesan, goûtez et rectifiez l'assaisonnement.

Par personne : 440 kcal environ.

ASTUCE !

Variantes

Risotto à la végétarienne

Vous pouvez remplacer la viande de veau et les foies de volailles par 300 g de cèpes ou de bolets et procéder selon la recette ci-dessus.

Riz à la grecque aux épinards

1 kg d'épinards frais ou 300 g d'épinards surgelés, 200 g d'oignons, 2 c. à soupe d'huile d'olive, 200 g de riz longs grains, sel, poivre blanc du moulin, 1 pincée de noix de muscade râpée, 1 citron non traité, 1 yaourt grec au lait entier

Épinards frais ou surgelés

1 Nettoyez les épinards, supprimez les grosses tiges, lavez, égouttez et coupez en larges bandes. Ou bien faites décongeler les épinards surgelés.

2 Pelez les oignons et coupez-les en rondelles. Faites chauffer l'huile d'olive dans une casserole et mettez les oignons à revenir doucement jusqu'à ce qu'ils soient translucides. Incorporez les épinards, couvrez et laissez étuver 4 minutes sur feu moyen.

3 Ajoutez le riz, 1/2 c. à café de sel et environ 1/4 l d'eau, portez à ébullition quelques instants, puis couvrez et laissez mijoter sur feu doux pendant 20 minutes Au besoin, ajoutez un peu d'eau en cours de cuisson.

4 Assaisonnez, ajoutez la muscade et disposez dans un saladier avec des quartiers de citron. Servez ce riz arrosé de jus de citron et de yaourt.

Par personne : 180 kcal environ.

Ragoût de lentilles de Lombardie

300 g de lentilles, 80 g de lard fumé, 1 oignon moyen, 1 c. à soupe de concentré de tomate, 6 feuilles de sauge fraîche, 3/4 l de bouillon de viande, poivre noir du moulin, sel

Faites tremper les lentilles à l'avance !

1 Faites ramollir les lentilles pendant 2 ou 3 heures dans une grande quantité d'eau, puis laissez égoutter.

2 Coupez le lard en cubes ; faites-les revenir dans une casserole. Pelez et émincez l'oignon, rincez, séchez et ciselez la sauge. Ajoutez l'oignon et la sauge dans la casserole et laissez suer quelques instants.

3 Ajoutez les lentilles égouttées et laissez cuire. Délayez le concentré de tomate avec un peu d'eau chaude et incorporez-le.

4 Mouillez avec le bouillon de viande très chaud et laissez mijoter sur feu doux 30 minutes Au bout de ce temps, goûtez. Ajoutez un peu d'eau si nécessaire et terminez la cuisson. Salez et poivrez.

Par personne : 380 kcal environ.

Ragoût de riz et de haricots à l'espagnole

150 g de haricots blancs, 1 tête d'ail, 1/2 l de bouillon de viande, 1 dose de safran (0,2 g), 2 feuilles de laurier, 300 g de riz rond espagnol ou de riz arborio ou vialone italien, 2 grosses tomates, 1 c. à café de paprika doux en poudre, 2 c. à soupe d'huile d'olive, sel, poivre blanc du moulin

1 Faites tremper les haricots une nuit dans une grande quantité d'eau. Laissez égoutter, puis plongez-les dans 1 l d'eau froide et faites-les cuire environ 1 heure.

2 Pendant ce temps, détachez 4 gousses de la tête d'ail et réservez-les. Mettez le reste dans une casserole, mouillez avec le bouillon de viande et portez à ébullition. Ajoutez le safran et les feuilles de laurier. Versez le riz en pluie et laissez cuire 20 minutes sur feu doux.

3 Faites blanchir les tomates, pelez-les et concassez-les. Faites chauffer l'huile d'olive dans une grande casserole, pelez les gousses d'ail et pressez-les au-dessus de l'huile. Incorporez les tomates et le paprika et laissez étuver 5 minutes.

4 Jetez l'ail et le laurier. Ajoutez les haricots égouttés et le riz dans la casserole, mélangez bien, salez et poivrez.

Par personne : 420 kcal environ.

Poisson et fruits de mer

Cabillaud à la génoise

1 c. à soupe de cèpes déshydratés, 1 branche de céleri, 1 bouquet de persil, 1 carotte, 1 oignon, 2 gousses d'ail, 3 filets de sardines à l'huile, 2 c. à soupe de pignons de pin, 1 c. à soupe de câpres, 4 c. à soupe d'huile d'olive, 1/8 l de bouillon léger, 800 g de filet de cabillaud, poivre blanc du moulin, sel

1 Faites gonfler les champignons dans l'eau tiède pendant 30 minutes, puis exprimez-en l'eau et émincez-les. Lavez et séchez le céleri et le persil.

2 Grattez la carotte, pelez l'ail et l'oignon. Hachez finement les légumes, les filets de sardines égouttés, les pignons de pin et les câpres.

3 Dans une sauteuse, faites chauffer l'huile d'olive et mettez les ingrédients hachés à revenir sur feu doux pendant 10 minutes Mouillez avec la moitié du bouillon. Préchauffez le four à 170 °C.

4 Passez le poisson sous l'eau et séchez-le, salez et poivrez, puis ajoutez-le dans la sauteuse. Répartissez le fond de légumes sur le poisson, couvrez hermétiquement et glissez le tout dans le four.

5 Laissez cuire 30 à 35 minutes en retournant à mi-cuisson et en arrosant de temps en temps avec le jus de cuisson. Ajoutez un peu de bouillon si nécessaire.

Par personne : 260 kcal environ.

Le cabillaud à la génoise est un plat raffiné et léger

Accompagnez tous vos plats de poisson de baguette croustillante

Casserole de thon à la basquaise

1 gros oignon, 4 gousses d'ail, 1 gros poivron, 500 g de grosses tomates, 2 c. à soupe d'huile d'olive, 1 piment frais, sel, poivre noir, 2 c. à café de paprika doux en poudre, 400 g de pommes de terre - 1/4 l de vin blanc sec, 600 g de thon, le jus d'1 citron

1 Pelez et hachez finement l'ail et l'oignon. Lavez et nettoyez le poivron, puis coupez-le en lanières étroites. Faites blanchir les tomates, pelez-les et concassez-les.

2 Faites revenir l'oignon dans l'huile d'olive, pressez l'ail, ajoutez les lanières de poivron et laissez revenir 5 minutes sur feu doux.

3 Éliminez les graines du piment, coupez-le en fines lanières et ajoutez-les aux tomates. Salez, poivrez et saupoudrez de paprika, mélangez bien et laissez mijoter 10 minutes.

4 Pendant ce temps, épluchez les pommes de terre et coupez-les en dés. Ajoutez-les dans la casserole avec le vin blanc et les légumes et mélangez bien. Couvrez et laissez mijoter à couvert 25 minutes.

5 Rincez le thon à l'eau froide, séchez-le et coupez-le en cubes de 2 cm de côté. Arrosez de jus de citron, salez et poivrez légèrement, puis ajoutez dans la casserole. Laissez encore cuire 8 à 10 minutes, goûtez et rectifiez l'assaisonnement si nécessaire.

Par personne : 540 kcal environ.

Dorade aux pommes de terre

5 pommes de terre moyennes, 2 gousses d'ail, 1 dorade fraîche (800 g environ) prête à cuire, sel, poivre noir du moulin, 2 brins de romarin, 6 c. à soupe d'huile d'olive, 6 feuilles de sauge, 1/8 l de vin blanc sec, 1 citron

Servez le même vin blanc que celui de la recette

1 Épluchez les pommes de terre et coupez-les en morceaux. Pelez l'ail. Rincez et séchez la dorade. Salez et poivrez l'intérieur et l'extérieur et farcissez-la avec l'ail et un brin de romarin. Préchauffez le four à 200 °C.

2 Badigeonnez un plat à gratin de 2 c. à soupe d'huile d'olive. Disposez les pommes de terre dans le plat et ajoutez un brin de romarin. Arrosez d'1 c. à soupe d'huile d'olive, salez, poivrez et faites cuire 15 minutes au four.

3 Posez la dorade sur le lit de pommes de terre, arrosez d'1 c. à soupe d'huile d'olive et laissez mijoter 30 à 35 minutes Arrosez de temps en temps avec un peu de vin. Dressez joliment la dorade et les pommes de terre, arrosez de 2 c. à soupe d'huile d'olive et servez.

Par personne : 410 kcal environ.

Crevettes sauce tomate-sardine

32 crevettes moyennes non décortiquées (fraîches ou surgelées, 800 g environ), 4 gousses d'ail, 5 filets de sardines à l'huile, 6 c. à soupe d'huile d'olive, 1/8 l de vin blanc sec, 1 boîte de pulpe de tomates (500 g), sel, 1 piment, poivre noir, 1 bouquet de persil

1 Lavez et égouttez les crevettes ou bien faites-les décongeler si elles sont surgelées. Pelez l'ail,

faites égoutter les sardines et hachez-les finement.

2 Faites chauffer l'huile d'olive dans une grande sauteuse. Mettez le hachis d'ail et de sardines à dorer légèrement en remuant. Mouillez avec le vin blanc et laissez réduire sur feu doux.

3 Versez la pulpe de tomates dans la casserole, salez et saupoudrez de piment écrasé. Laissez réduire la sauce 30 minutes sur feu moyen. Pendant ce temps, hachez finement le persil.

4 Incorporez les crevettes et poursuivez la cuisson 20 minutes sur feu doux.

5 Salez, poivrez et incorporez

Les crevettes sauce tomate-sardine : un plat idéal pour recevoir des amis

délicatement le persil. Servez directement dans la casserole.

Par personne : 330 kcal environ.

Crevettes à l'ail comme en Espagne

Les crevettes à l'ail se servent aussi en entrée

800 g de crevettes crues non décortiquées, 2 piments rouges frais, 8 gousses d'ail, 6 c. à soupe d'huile d'olive, sel, poivre noir du moulin

1 Décortiquez les crevettes, fendez le dos et retirez l'intestin. Rincez-les rapidement et séchez-les.

2 Lavez les piments, éliminez-en les graines, puis coupez-les en fines rondelles. Pelez les gousses d'ail et coupez-les en quatre dans la longueur.

3 Mettez le piment, l'ail et les crevettes à revenir dans l'huile d'olive sur feu vif. Salez, poivrez et laissez cuire 2 ou 3 minutes.

Important : n'oubliez pas le pain pour la sauce !

4 Servez les crevettes sans attendre et surtout avec du pain, pour saucer la sauce.

Par personne : 300 kcal environ.

Plats de viande : les solistes de la cuisine méditerranéenne

Dans la cuisine méditerranéenne, les plats de viande sont souvent servis après une entrée et seuls, c'est-à-dire sans légumes ni pommes de terre pour les accompagner. On n'apporte bien souvent que du pain, pour saucer les sauces relevées.

Saltimbocca

8 fines escalopes de veau (500 g environ), 8 feuilles de sauge, 3 c. à soupe d'huile d'olive, 8 tranches de jambon de Parme ou de jambon fumé, sel, poivre blanc du moulin, 4 c. à soupe de vin blanc

1 Attendrissez légèrement les escalopes, rincez et séchez les feuilles de sauge.

2 Faites chauffer l'huile d'olive dans une grande poêle et retournez-y la sauge une minute Sortez-la et réservez. Mettez les tranches de jambon à revenir de chaque côté dans l'huile et réservez.

3 Faites revenir les escalopes 2 minutes de chaque côté dans la

Saltimbocca :
très tendres,
ces escalopes
de veau sont
aussi faciles
que rapides
à préparer

même poêle, salez et poivrez légèrement.

4 Disposez les escalopes sur des assiettes préchauffées, disposez dessus une tranche de jambon et

ASTUCE !

Salto culinaire

Une saltimbocca est si appétissante et si bien présentée qu'elle vous « saute littéralement dans la bouche ». C'est en tous les cas la traduction littérale de l'italien, alors savourez ce « salto » culinaire et laissez-vous fondre de plaisir !

une feuille de sauge. Couvrez et réservez au chaud.

5 Déglacez le jus de cuisson avec le vin blanc et 2 c. à soupe d'eau, mélangez bien et versez sur les escalopes. Servez votre saltimbocca sans attendre.

Par personne : 280 kcal environ.

Vitello tonnato

1 branche de céleri, 1 carotte, 1 oignon, 1 feuille de laurier, 2 clous de girofle, 500 g de noix de veau, 1/2 l de vin blanc sec, sel, 100 g de thon à l'huile (poids net égoutté), 2 filets de sardines à l'huile, 1 jaune d'œuf, 2 c. à soupe de câpres, 1 citron non traité, 1/8 l d'huile d'olive, poivre noir du moulin

Considérée
comme
un vrai délice
en Italie

1 Nettoyez le céleri, les carottes et l'oignon et coupez-les en gros morceaux. Mettez-les dans une casserole avec la feuille de laurier, les clous de girofle, la viande et le vin blanc et laissez macérer 24 heures au réfrigérateur.

2 Couvrez la viande d'eau, salez légèrement, portez à ébullition et laissez frémir une heure à feu doux.

3 Laissez refroidir la viande dans le bouillon. Faites égoutter le thon et les sardines et réduisez-les en purée fine avec le jaune d'œuf, 1 c. à soupe de câpres et le jus d'1/2 citron. Incorporez peu à peu l'huile d'olive et quelques c. à soupe de bouillon sans cesser de remuer jusqu'à l'obtention d'une sauce crémeuse. Salez et poivrez.

4 Sortez la viande du bouillon refroidi, coupez-la en tranches fines que vous disposerez sur un plat. Arrosez uniformément de sauce, couvrez et placez au frais 3 ou 4 heures.

Convient
également
pour un
buffet froid
5 Au moment de servir, coupez le demi-citron restant en fines rondelles, décorez-en le plat et parsemez de câpres.

Par personne : 465 kcal environ.

Poulet basquaise

2 gros poivrons rouges, 2 gros poivrons verts, 100 g de jambon sec, 4 gousses d'ail, 300 g d'échalotes, 1 petit poulet prêt à cuire (900 g environ), 3 c. à soupe d'huile d'olive, sel, poivre noir du moulin, 4 c. à soupe de concentré de tomate, 1/4 l de vin blanc sec

1 Préchauffez le four à 250 °C. Faites griller les poivrons 10 à 12 minutes, le temps que leur peau noircisse et se boursoufle. Sortez-les, enveloppez-les dans un torchon humide et laissez refroidir. Baissez la température du four à 150 °C.

2 Pelez les poivrons, ôtez-en le pédoncule et les graines et coupez-les en lanières étroites. Coupez le jambon en petits morceaux, pelez les gousses d'ail et les échalotes. Découpez le poulet en quatre.

3 Faites chauffer l'huile dans une sauteuse, mettez les morceaux de poulet à dorer de toutes parts sur feu moyen. Salez légèrement, poivrez et sortez-les. Faites dorer les oignons dans le jus, ajoutez le jambon et le concentré de tomates.

4 Pressez l'ail, ajoutez les lanières de poivron et mouillez avec le vin blanc. Disposez les morceaux de poulet sur ce lit, couvrez et laissez mijoter 50 minutes.

Par personne : 530 kcal environ.

Lapin aux olives

Cette recette est prévue pour 6 personnes, alors invitez donc un ou deux amis à dîner.

1 lapin prêt à cuire (1,6 kg environ), 1 brin de romarin, de thym et d'origan frais ou 1 à 2 c. à café d'herbes de Provence séchées, 3 c. à soupe d'huile d'olive, sel, poivre noir, 2 gousses d'ail, 1/8 l de vin rouge, 150 g d'olives vertes, 300 g de tomates

1 Préchauffez le four à 200 °C. Découpez le lapin en six morceaux. Rincez, séchez et effeuillez les herbes. Mélangez-les avec l'huile d'olive, du sel, du poivre et badigeonnez-en la viande.

2 Versez 1/4 l d'eau dans un plat à four, disposez les morceaux de lapin, couvrez et faites cuire au four 30 minutes à 200 °C.

3 Pelez l'ail et hachez-le finement. Ajoutez-le au lapin, ainsi que le vin rouge et 1/8 l d'eau. Poursuivez la cuisson 15 minutes.

4 Dénoyautez les olives, plongez les tomates dans l'eau bouillante, pelez-les et concassez-les.

Les olives donnent un goût caractéristique à ce plat

Le lapin aux olives : un plat savoureux pour vos convives

Ajoutez-les à la viande et poursuivez la cuisson 15 minutes à découvert. Au besoin, mouillez avec un peu de vin rouge allongé.

Par personne : 410 kcal environ.

Gigot d'agneau à la castillane

1 gigot d'agneau sans os (800 g), 1/2 l de vin blanc sec, 3 c. à soupe de vinaigre de vin blanc, 3 feuilles de laurier, 1 brin de thym et de romarin, 6 baies de genièvre, 1 c. à café de grains de poivre noir, 1 gros oignon (200 g), 4 gousses d'ail, 2 carottes (200 g), 1 grosse tomate (200 g), sel

1 Placez le gigot d'agneau dans un faitout, couvrez de vinaigre et de vin. Ajoutez les feuilles de laurier, le thym, le romarin, les baies de genièvre et le poivre.

2 Pelez et hachez finement l'ail et l'oignon. Pelez les carottes et coupez-les en dés. Blanchissez les tomates, pelez-les et concassez-les.

3 Salez les légumes et répartissez-les sur le gigot. Couvrez et laissez mariner une nuit.

Laissez mariner le gigot une nuit

4 Le lendemain, portez le tout à ébullition, couvrez et laissez mijoter une heure et demi sur feu doux. Découpez le gigot et servez accompagné de jus de cuisson.

Par personne : 590 kcal environ.

Index

Index des recettes

AVERTISSEMENT

Ce guide présente l'alimentation méditerranéenne traditionnelle comme une solution de remplacement à un mauvais mode d'alimentation et à ses conséquences pour la santé. Mais le lecteur est seul à pouvoir décider de la manière dont il va modifier son alimentation. Si vos souffrez de l'un des facteurs de risque responsables de maladies cardio-vasculaires mentionnés dans ce guide (diabète, hypertension artérielle, excès de poids…), ou si vous avez déjà été victime d'un infarctus du myocarde ou d'un accident vasculaire cérébral, parlez toujours de votre régime alimentaire avec votre médecin avant de l'entreprendre.

Crédits photographiques :
Werner Blessing, styling : Jeanette Heerwagen ;
Autres photos : AKG p. 13 ; Bavaria p. 13 ; Barbara Bonisolli p. 18 (melons) ; Communauté euro-péenne p. 30, 32 ; Image Bank p. 15 (Charles Mahaux), 40, 57 (White Packert) ; Mauritius p. 18 (yaourt – Claasen), 23 (AGE), 28, 51 (Poehlmann) ; Schmitz p. 6-7, 18(vin rouge), 24, 26 (Tasse de thé), 46, 59, 75, 83 ; Stockfood p. 18 (tomate, huile d'olive), 31, 34, 48, 52, 68, 79 ; Tony Stone : couverture ; Teubner p. 18 (spaghetti), 22, 25, 26 (sauge), 27, 29, 43, 80.

Traduit de l'allemand par Véronique Cebal.

Pour l'édition originale parue sous le titre *Mittelmeerdiät. Gesund genießen, länger leben* :
© 1999, Gräfe und Unzer Verlag GmbH, München.

Pour la présente édition :
© 2000, éditions Vigot - 23, rue de l'école-de-Médecine, 75006 Paris.
Dépôt légal : juin 2000 - ISBN 2 7114 1430 2

Imprimé en Belgique par la SNEL S.A. en mai 2000 - 16671